Deseo

W9-CPP-800

JULES BENNETT

LOS OPUESTOS SE ATRAEN

BESOS DE PELÍCULA

Editado por Harlequin Ibérica.
Una división de HarperCollins Ibérica, S.A.
Núñez de Balboa, 56
28001 Madrid

© 2015 Harlequin Ibérica, una división de HarperCollins Ibérica, S.A.
N.º 2055 - 5.8.15

© 2014 Jules Bennett
Los opuestos se atraen
Título original: When Opposites Attract…
Publicada originalmente por Harlequin Enterprises, Ltd.

© 2014 Jules Bennett
Besos de película
Título original: Single Man Meets Single Mom
Publicada originalmente por Harlequin Enterprises, Ltd.

Todos los derechos están reservados incluidos los de reproducción, total
o parcial. Esta edición ha sido publicada con autorización de Harlequin
Books S.A.
Esta es una obra de ficción. Nombres, caracteres, lugares, y situaciones
son producto de la imaginación del autor o son utilizados ficticiamente,
y cualquier parecido con personas, vivas o muertas, establecimientos
de negocios (comerciales), hechos o situaciones son pura coincidencia.
® Harlequin, Harlequin Deseo y logotipo Harlequin son marcas
registradas propiedad de Harlequin Enterprises Limited.
® y ™ son marcas registradas por Harlequin Enterprises Limited y sus
filiales, utilizadas con licencia. Las marcas que lleven ® están
registradas en la Oficina Española de Patentes y Marcas y en otros
países.
Imagen de cubierta utilizada con permiso de Harlequin Enterprises
Limited. Todos los derechos están reservados.

I.S.B.N.: 978-84-687-6622-5
Depósito legal: M-16123-2015
Impresión en CPI (Barcelona)
Fecha impresion para Argentina: 1.2.16
Distribuidor exclusivo para España: LOGISTA
Distribuidor para México: CODIPLYRSA
Distribuidores para Argentina: Interior, DGP, S.A. Alvarado 2118.
Cap. Fed./Buenos Aires y Gran Buenos Aires, VACCARO HNOS.

ÍNDICE

LOS OPUESTOS SE ATRAEN

Jules Bennett

Capítulo Uno

Cuando Grant Carter entró en los establos y vio las preciosas y redondas nalgas que estaban ante él, se alegró de haber aceptado aquel trabajo. Ningún hombre se habría resistido a la tentación de admirar un trasero tan perfecto. Pero eso no significaba que fuera a cometer una locura; en primer lugar, porque había tomado la decisión de sentar cabeza y, en segundo, porque no quería hacer nada que pusiera en peligro su carrera cinematográfica.

Estaba allí, en Stony Ridge, para producir una película sobre el famoso jinete Damon Barrington. Era una oportunidad demasiado importante, que no podía desaprovechar. Y no iba a permitir que la tentación se interpusiera en su camino. Aunque lo estuviera mirando a la cara. Literalmente.

Además, una de las cláusulas de su contrato se lo impedía. Le habían prohibido que confraternizara con nadie durante el rodaje. Y, aunque no se lo hubieran prohibido, ya tenía bastantes problemas con sus propios demonios personales. Se comportaría como un profesional. El pasado no derribaría las barreras que había levantado alrededor de su corazón.

Grant maldijo la cláusula y sus demonios personales y se fijó en las nalgas. Era una fruta prohibida, pero le ayudó a no pensar en el olor a heno y a cuero de los establos; una combinación peligrosa, porque le avivaba recuerdos.

–Disculpe, ¿sabe dónde puedo encontrar a Tessa Barrington?

La exuberante y pequeña mujer se dio la vuelta y lo miró. Grant se habría mentido a sí mismo si se hubiera dicho que no sintió algo especial. Tenía una cara tan bonita como el cuerpo, y unos ojos de color turquesa que parecían la viva imagen de la seducción. Unos ojos que, sin duda alguna, habrían enamorado a muchos hombres.

–¿Eres el productor?

La mujer dejó el cepillo con el que estaba cepillando a uno de los caballos.

–Soy uno de ellos –contestó–. Grant Carter.

–Y yo soy la persona que buscabas.

Grant disimuló su sorpresa a duras penas, y tuvo que hacer un esfuerzo para no suspirar cuando ella se llevó las manos a la cintura. ¿Cómo era posible que una mujer de coleta y vaqueros le gustara hasta ese punto? ¿Desde cuándo sentía debilidad por las sencillas chicas de campo?

Tras unos momentos de perplejidad, se acordó de los rumores que había oído. Tessa Barrington era cualquier cosa menos sencilla. Estaba ante una amazona que aterrorizaba a jinetes, adiestradores y propietarios por igual.

–Mi padre me dijo que llegarías hoy. –Tessa bajó la mirada y la clavó en los pies de Grant–. Tus botas están ridículamente limpias… Tendremos que ensuciarlas un poco, ¿no te parece?

Grant sonrió. Siempre le habían gustado las mujeres que no tenían miedo de expresar sus opiniones.

Se acercó a ella y le estrechó la mano. Fue un contacto breve, pero suficiente para que notara los callos de su palma. Por lo visto, se tomaba su trabajo

8

muy en serio. No se había convertido en el enemigo a batir de todo el condado por tumbarse a la sombra y dedicarse a tomar refrescos.

–Encantado de conocerte, Tessa –dijo, sin dejar de sonreír–. Confieso que me has causado una impresión verdaderamente grata…

Ella se cruzó de brazos y arqueó una ceja con tal gesto de disgusto que le arrancó una carcajada a Grant.

–No me malinterpretes –se apresuró a añadir–. Me refería a que tu talento natural me ha causado una gran impresión.

–¿Mi talento natural? –ironizó Tessa, con la ceja aún arqueada–. Está bien… Supondré que es un cumplido a cuenta de mis habilidades como amazona.

Grant se sintió aliviado y cambió rápidamente de conversación.

–Sé que estás ocupada, pero….

–Estoy mucho más que ocupada –lo interrumpió.

–Sí, bueno…

–No te molestes en insistir. He preparado una hoja con mis horarios, para que sepas cuándo estoy entrenando, cuándo estoy en los establos y cuándo me puedes ver. Espero que te atengas a ello; pero si surge algún problema y no puedes estar en alguno de los momentos que te he reservado, haré lo posible por concederte otro.

Grant se acordó de su hermana, y le faltó poco para romper a reír. Tessa Barrington era tan obsesiva como ella en cuestiones de organización. O, al menos, tan obsesiva como lo había sido antes de sufrir aquel accidente.

La miró a los ojos de nuevo y se dio cuenta de que estaba hablando en serio. Definitivamente, iba a ser un hueso duro de roer.

Además, tenía la sensación de que el rodaje no le hacía ninguna gracia. Cualquiera habría estado encantado de que se rodara una película en su propiedad con tal de que se le asociara con una película de Bronson Dane y con Max Ford como protagonista. Pero Tessa no los quería allí. Quería seguir en su mundo perfectamente ordenado, con sus hojas de horarios y su coleta tensa. Sin despeinarse.

Y a Grant le habría encantado despeinarla.

Sin embargo, era el coproductor de la película y no iba a repetir los errores que habían destrozado la vida de su familia. Mientras estuviera allí, se abstendría de relaciones problemáticas. Especialmente, porque estaba a punto de conseguir su siguiente objetivo, tener su propia empresa de producciones.

—Me parece bien, Tessa. Estoy seguro de que encontraremos la forma de trabajar juntos... Pero, ¿cuándo me podrás conceder la primera audiencia? —preguntó con humor—. Mi equipo llega dentro de un mes y tengo que visitar el rancho para elegir los sitios donde van a rodar.

Ella ladeó la cabeza.

—Mi padre quiere que os ayude, pero eso no significa que vuestro proyecto cinematográfico cuente con mi apoyo —replicó—. No voy a permitir que una película se interponga en mi trabajo. Mi prioridad son las carreras. Siempre lo han sido y siempre lo serán.

Grant la encontró tan refrescante que sonrió. Estaba harto de mujeres que se acercaban a él por su fama o su cuenta bancaria. Pero a Tessa no le interesaba ni lo uno ni lo otro.

—Lo comprendo perfectamente —dijo, en un intento por ganársela—. Sé que estás muy ocupada, y haré lo posible por no robarte demasiado tiempo.

Tessa lo miró con desconfianza.

–Déjame que te diga una cosa, Grant. En circunstancias normales, no habría consentido que un hombre me siga a todas partes como si fuera mi sombra. He hecho una excepción contigo porque es la única forma de conseguir que vuestra película sea absolutamente veraz. No quiero que transforméis la vida de mi padre en algo feo y dudoso.

A Grant le pareció un comentario interesante. Era obvio que Tessa había tenido alguna experiencia mala en ese sentido, y que ahora desconfiaba de todo el mundo. Por lo visto, estaba condenado a pasar un mes entero con una mujer amargada.

–No te preocupes. Me aseguraré de que la película satisfaga a todas las partes –le prometió.

Ella le dedicó una sonrisa tensa.

–Excelente. Me alegra saber que los dos queremos lo mismo.

Grant no estaba muy seguro de que los dos quisieran lo mismo. Por lo menos, en ese momento. Tessa le gustaba tanto que habría dado cualquier cosa por soltarle la coleta, desnudarla y hacerle el amor encima de un montón de heno.

Al parecer, iba a ser un mes muy largo.

Tessa sabía reconocer a un hombre que se sentía atraído por ella. Y, a decir verdad, ella también lo encontraba sexy. Pero se creía inmunizada contra los hombres atractivos y de palabra fácil.

Además, Grant Carter era tan sospechosamente urbano como Aaron, el último tipo que había suscitado su interés. Un individuo de trajes caros y zapatos relucientes que no se acercó a ella porque le interesara desde un punto de vista romántico, sino porque quería utilizar su apellido y su dinero para hacer negocios.

Después de aquella decepción, no había ninguna posibilidad de que se dejara engatusar por nadie. Especialmente, si se trataba de un desconocido de Hollywood que, para empeorar las cosas, había conseguido que su corazón latiera más deprisa sin más esfuerzo que una sonrisa irónica y un par de miradas intensas.

Tessa Barrington no era como la mayoría de las chicas de su edad. Tenía veinticinco años, pero el amor no le interesaba en absoluto. Toda su vida giraba alrededor de su trabajo y del único sueño que significaba algo para ella: conseguir la Triple Corona.

—Será mejor que me vaya. Oliver necesita correr un poco —dijo, refiriéndose al caballo—. Cuando mi padre me informó de que llegabas hoy, supuse que aparecerías por la tarde. De hecho, te reservé un par de horas después de comer.

Grant miró la hora en su reloj.

—Puedo volver más tarde, aunque estaría bien que me dieras esa hoja que has preparado. No quiero molestarte otra vez.

Tessa suspiró. Sabía que Grant se estaba burlando de ella, pero estaba acostumbrada a ese tipo de situaciones.

—De acuerdo. Te la daré dentro de un par de horas, cuando nos volvamos a ver.

Tessa se giró hacia Oliver. No era el caballo que montaba en competición, sino un animal caprichoso e hiperactivo al que, sin embargo, quería como si fuera su propio hijo. Se llevaba muy bien con él. Se entendían. Y, al igual que ella, detestaba a los forasteros.

De repente, Grant la tomó entre sus brazos y la alejó del purasangre.

–¿Se puede saber qué demonios estás haciendo? –preguntó Tessa, clavando la vista en sus ojos oscuros, casi negros.

Grant no la estaba mirando a ella, sino al caballo. Y Tessa aprovechó la circunstancia para admirar su piel morena, los fabulosos músculos de su pecho y su intenso y masculino aroma.

–¿Grant? –insistió.

Él sacudió la cabeza, como volviendo en sí.

–Lo siento… El caballo ha hecho un movimiento raro, y me ha parecido que te iba a golpear –se disculpó–. No quería que te hiciera daño.

Tessa se cruzó de brazos. Estaba tan confundida con su comportamiento como asombrada por el hecho de que se hubiera sentido obligado a rescatarla.

–¿Hacerme daño? Ningún caballo me ha hecho daño en toda mi vida… Además, Oliver es así, bastante nervioso. Yo soy la única persona que lo puede montar.

Grant se encogió de hombros.

–Discúlpame. No tengo experiencia con estas cosas.

Tessa lo miró con interés.

–¿Estás seguro de que sabrás comportarte en un rancho?

Él sonrió con debilidad.

–Sí, no te preocupes…

Tessa no quería sentir nada por aquel hombre de voz suave y ojos oscuros. Pero le había gustado que saliera en su defensa, y tenía un fondo de vulnerabilidad que le resultaba intensamente atractivo.

–No quiero ser grosera, pero vas a trabajar en una película sobre caballos. ¿No crees que deberías saber algo al respecto?

Grant se apartó con una zancada lenta y suave que habría despertado la envidia de cualquier vaquero. Tessa se quedó sorprendida unos instantes. Si no hubiera sido por su ropa, tan limpia y bien planchada como si se la acabara de comprar, habría pensado que vivía en un rancho. Pero se recordó que trabajaba en Hollywood, y que la gente del cine estaba acostumbrada a interpretar personajes.

Se detuvo tan cerca de ella que se vio obligada a elegir entre mirar su camisa gris de franela o mirar sus ojos. Y todo lo que veía le gustaba tanto que olvidó lo que estaba diciendo.

–Por eso estoy aquí. Para que me ayudes a entender el mundo de los caballos –contestó–. Llevo mucho tiempo esperando un proyecto tan importante como este… Y puedes estar segura de que, cuando quiero algo, encuentro la forma de hacerlo mío.

Tessa se preguntó por qué le había parecido que aquellas palabras se referían a ella. Se preguntó por qué la habían estremecido y, sobre todo, se preguntó cómo era posible que se sintiera atraída por él. ¿Es que no había aprendido nada?

Además, en su mundo no había sitio para el amor. Tenía títulos que ganar, premios que recoger, objetivos que cumplir. No permitiría que nada ni nadie se interpusiera en su camino. Aunque fuera la tentación personificada.

Tampoco podía negar que aquel hombre de espalda ancha y ojos hipnóticos la estaba volviendo loca. En solo unos minutos, había logrado que las hormonas se le desataran y que su mente empezara a añorar la vida sexual que nunca había tenido.

–No desperdicies tus encantos conmigo –le advirtió–. A mí solo me interesan las carreras y los caballos.

Grant volvió a sonreír.

–No es ningún desperdicio, Tessa. Sé que te sientes tan atraída por mí como yo por ti. Es lógico que nuestra imaginación se desboque cuando vemos a una persona que nos gusta… Le pasa a todo el mundo. No hay necesidad de negar los hechos.

Tessa soltó una carcajada.

–Tu ego es tan grande que no sé cómo has podido entrar en los establos. Pero yo me tengo que ir, guapo –ironizó–. Ah, y ten cuidado cuando salgas… No sea que tu arrogancia se estampe contra el marco de la puerta.

Él rio y Tessa se dijo que tendría que ser más convincente si quería disimular sus sentimientos. No se podía permitir el lujo de bajar la guardia. Porque, si la bajaba, se encontraría atrapada en el elegante y seductor mundo de Grant.

Capítulo Dos

Grant miró la ancha escalera que llevaba a la terraza del segundo piso y pensó que sería perfecta para rodar la primera escena. Quería que la película empezara con los primeros años de Damon y Rose Barrington; y, como aquel lugar era el centro de su familia, debían empezar por ahí.

Al salir a la terraza imaginó a Max Ford en el papel de Damon y sonrió sin poder evitarlo. El actor se apoyaría en la barandilla y observaría a dos niñas que estarían jugando en el jardín; una de las cuales, naturalmente, representaría el papel de la pequeña Tessa Barrington.

Grant sacudió la cabeza. Estaba seguro de que siempre había sido una obsesa de la organización. Incluso en su más tierna edad.

–Buenas tardes…

Grant sonrió al oír la voz de Damon Barrington, y se giró hacia él con intención de saludarlo. Era un hombre alto, delgado y de cabello canoso, cuya presencia imponía atención y respeto. Aquel rodaje iba a suponer un gran salto adelante en la carrera profesional de Grant.

Dirigir películas era su verdadera pasión. Adoraba trabajar con los actores y disfrutar del clima de confianza que siempre se formaba. Pero estaba preparado para ir más lejos. Y coproducir aquella película era una oportunidad de oro.

–Siento no haber estado aquí cuando has llegado. –Damon le dio una palmadita en la espalda–. Tengo entendido que ya has hablado con Tessa...

Grant asintió.

–Sí, he quedado con tu hija dentro de unos minutos. Me ha preparado un horario.

Damon soltó una carcajada.

–Ah, esa chica... Cuando no está con los caballos, está delante de su ordenador, preparando horarios, programas y demás.

Grant pensó que Tessa solo necesitaba relajarse un poco. Y se le ocurrían unas cuantas formas de relajarla. Pero su contrato se lo impedía.

Empezaba a odiar la maldita cláusula de marras; una cláusula que, por otra parte, no podía ser más injusta. Era verdad que, en cierta ocasión, se había emborrachado con una maquilladora y habían terminado en las portadas de los periódicos, pero habían pasado años desde entonces.

Además, ya no estaba tan seguro de que quisiera sentar cabeza. Tessa era muy atractiva, y no se le ocurría ninguna razón por la que no pudieran divertirse un poco. A fin de cuentas, iban a estar juntos durante todo un mes. Y un mes sin diversión podía ser extremadamente largo.

–Por lo visto, ha marcado en verde las horas que me puede dedicar...

Damon suspiró y se pasó una mano por la cara.

–Supongo que ha salido a su madre... Mi difunta esposa era de las que ponen etiquetas en todas partes y programan cada minuto del día –explicó–. Me sacaba de quicio.

–Espero que puedas hablar con Lily cuando llegue a la casa –dijo Grant, refiriéndose a la actriz que iba a interpretar el papel de Rose Barrington–. Ha estudiado la biografía y los materiales que le enviaste, pero no es lo mismo que hablar con el hombre que estuvo casado con ella.

–Será un placer –afirmó Damon–. Aunque me sigue sorprendiendo que alguien quiera grabar una película sobre mi vida.

–Eres un hombre extraordinario, y no puedes negar que fundaste una familia extraordinaria: ganaste la Triple Corona y tienes dos hijas que han seguido tus pasos. Tessa es jinete y Cassie, adiestradora de caballos –le recordó–. Hay quien opina que eres el tipo con más suerte del sector.

Damon sonrió.

–Lo mío no es suerte, sino paciencia y trabajo.

Grant tuvo la sensación de que Damon Barrington era algo más que un antiguo jinete devenido en dueño de una cuadra prestigiosa. También era un hombre de familia. Cuando alguien mencionaba a sus hijas, los ojos se le iluminaban con el mismo orgullo que aparecía en los de Tessa cuando hablaba sobre él. Y para Grant, no había nada más importante que la familia.

Por eso se resistía a ver a su hermana. Porque le había destrozado la vida y se sentía terriblemente avergonzado.

Sacudió la cabeza e intentó concentrarse en la película que iba a coproducir. Al fin y al cabo, era la oportunidad que había estado esperando durante tanto tiempo. Y no permitiría que nada se interpusiera en su camino. Empezando por Tessa.

Afortunadamente, la bella y sexy amazona no estaba en posición de sabotear la película. Podía complicar las cosas, pero Grant se dijo que encontraría el modo de romper su caparazón. Ya se había dado cuenta de que, por mucho que se fingiera inmune a sus encantos, se sentía atraída por él. Lo había notado en el brillo de sus ojos y en la dilatación de sus pupilas cuando le miraba los labios.

Tessa Barrington no iba a ser un problema.

–En fin, será mejor que me marche. Tengo que entrevistar a un candidato que quiere el puesto de mozo de cuadra –explicó Damon, que echó un vistazo a su teléfono móvil y se lo guardó en el bolsillo–. Pero, por favor, siéntete como si estuvieras en tu propia casa… Puedes ir adonde quieras y ver lo que quieras. Supongo que habrán llevado tu equipaje a una de las cabañas.

Grant asintió.

–Sí, ya lo han llevado. Aunque no hacía falta, me podría haber alojado en un hotel hasta que llegaran los habitáculos del equipo de rodaje.

–Tonterías. Tenemos dos cabañas para invitados, además de la que ocupan Cassie y su bebé. No es que sean muy grandes, pero son mejor que una habitación de hotel o un remolque.

–Eso es cierto.

–Volveré dentro de un rato. Si me necesitas, estoy a tu entera disposición. Pero sospecho que Tessa se habrá encargado de todo.

Grant volvió a sonreír.

–No tengo la menor duda al respecto.

Damon se fue y Grant continuó con la visita a la propiedad, decidido a no pasar ningún detalle por alto.

Minutos después, miró la hora y vio que faltaba poco para su cita con Tessa, así que se dirigió a los establos. No quería llegar tarde. Conociéndola, era capaz de marcharse.

Mientras caminaba, se puso a pensar en formas de sacarla de su mundo perfecto. ¿Cómo era posible que fuera tan aburrida? ¿Cómo era posible que redujera la existencia a un conjunto de compromisos milimétricamente ordenados en un papel? Tessa Barrington parecía creer que ser serio implicaba renunciar a vivir. Y se equivocaba.

–Veo que eres puntual. Hasta es posible que nos llevemos bien.

Grant admiró el cuerpo de Tessa, llevaba unos pantalones de montar ajustados y un casco de amazona.

–¿Por qué no vamos dentro? –preguntó él, haciendo caso omiso de su comentario–. Podremos beber algo y charlar un poco.

Ella se cruzó de brazos y sonrió.

–¿Por qué quieres que entremos? ¿Es que el chico de la gran ciudad no soporta el calor?

Él soltó una carcajada.

–Lo he dicho por ti. He supuesto que necesitarías un descanso…

–Yo no necesito descansar –dijo, orgullosa–. Y, en cuanto al calor, no me molesta.

Incapaz de refrenarse, Grant se acercó y le apartó un mechón de pelo de la cara. Tessa respiró hondo, con un gesto de sorpresa que a él le encantó.

–Bueno es saberlo…

–¿Bueno? ¿Por qué?

–Porque significa que no tienes miedo de las actividades que provocan sudoración –respondió Grant en voz baja.

Tessa le dedicó una sonrisa sarcástica.

–Tendrás que esforzarte más, guapo. Ese tipo de indirectas no te servirán conmigo.

–Oh, solo me estaba divirtiendo un poco –ironizó él–. Me gusta incomodarte. No se me ocurre nada mejor que hacer.

Ella ladeó la cabeza, sin apartar la vista de sus ojos.

—¿Ah, no? Yo pensaba que habías venido a producir una película.

Él se inclinó y aspiró su aroma.

—Puedo hacer varias cosas a la vez. Soy multitarea.

Tessa rio y le dio una palmadita en la cara.

—Mira qué bien… Y ahora, ¿qué te parece si comemos algo? Te he reservado dos horas de mi tiempo, y solo te queda una hora y cincuenta minutos.

Ella se apartó y se dirigió a la casa con lentitud, meneando las caderas bajo los ajustados pantalones.

Grant se la quedó mirando como un tonto, momentáneamente hipnotizado. Pero no se dejó engañar por la actitud de Tessa.

Ya no tenía ninguna duda. Lo deseaba. Lo había visto en sus ojos y en la vena que a veces le latía en el cuello.

Al parecer, iba a ser un rodaje de lo más interesante.

Tessa entró en la casa de su padre por la puerta de atrás y se sintió mejor al notar el refrescante aire acondicionado.

Estaba acalorada, aunque la temperatura de su cuerpo no se debía al clima, sino al guaperas de Hollywood que se creía capaz de seducirla. Y si no se andaba con cuidado, había grandes posibilidades de que lo consiguiera.

El panorama era desolador. ¿Cómo iba a sobrevivir a un mes entero con Grant Carter? Solo habían hablado unos minutos y ya la tenía en la palma de su mano.

Pero no lo quería desear. Técnicamente, era el enemigo. Un hombre sexy, de palabras seductoras y miradas que le acariciaban la piel; un hombre que, con toda seguridad, estaba acostumbrado a que las mujeres se pelearan por un poco de su afecto.

Además, la idea de participar en un rodaje le revolvía el estómago. Siendo jinete e hija de Damon Barrington, había tenido que aprender a tratar con los medios de comunicación. Pero una película era otra cosa.

Al llegar a la cocina, abrió el frigorífico y sacó una botella de agua. Cuando se dio la vuelta, vio que Grant la había seguido y que la estaba mirando con intensidad, con los brazos cruzados sobre el pecho.

–¿Quieres agua? –le preguntó.

Él sacudió la cabeza.

–No, gracias. ¿A qué hora sueles salir a montar?

Ella abrió la botella y echó un trago.

–A primera hora de la mañana –contestó–. Pero nos hemos quedado sin mozo de cuadra y, hasta que mi padre contrate a otro, me encargo de los caballos y de la limpieza de las caballerizas, donde estoy casi todo el día… y, a veces, de noche. Cuando no tengo sueño, me acercó a los establos, monto un rato y me quedo a dormir allí.

–Deduzco entonces que vives cerca…

Tessa asintió.

–Mi propiedad está junto a la de mi padre, aunque no es tan grande como la suya. Por eso tengo mis caballos en su rancho.

–Damon mencionó que tu hermana vive en una de las cabañas…

–Sí, con Emily, su hijita. –Tessa se apoyó en la encimera–. Volvió al rancho cuando su marido la abandonó.

–Menudo cretino.

–Y que lo digas. Su marido era el mozo de cuadra, y ahora nos hemos quedado sin él.

Grant la miró a los ojos y sonrió.

–Sois dos hermanas poco comunes. Una se dedica a adiestrar caballos y, la otra, a competir.

–Sí, no es muy habitual, pero las dos somos buenas en lo que hacemos –afirmó Tessa–. Hasta hace poco, las mujeres estaban tan discriminadas que no podían ser adiestradoras. Sin embargo, mi padre no es un hombre conservador en ese sentido. Contrataba a mujeres cuando nadie las habría contratado.

–Lo sé. Lo he leído en su biografía, y me parece un detalle interesante.

Tessa cambió de posición. La mirada de Grant la estaba incomodando. Tenía la sensación de que no parpadeaba nunca.

–Sea como sea, Cassie es la mejor adiestradora que he visto.

–Es mayor que tú, ¿verdad?

–En efecto. Me saca tres años.

–¿Y nunca ha querido ser jinete?

Tessa estuvo a punto de reír. Cassie tenía un temperamento dulce que no se llevaba bien con la competición. Lo suyo era cuidar de los caballos.

–No, prefiere estar en la sombra, moviendo los hilos –dijo–. Además, no es como yo… no disfruta con la adrenalina de las carreras.

Grant se acercó y se detuvo a su lado.

–Jamás habría imaginado que una mujer tan perfeccionista y obsesiva como tú fuera una fanática de la adrenalina.

Tessa lo miró a los ojos y se maldijo a sí misma por desearlo tanto.

–Soy más complicada de lo que parece. Tengo

muchas capas —declaró—. No puedes conocerlas todas en tan poco tiempo.

Él sonrió y ella clavó la vista en su boca.

¿Qué se sentiría al acariciar aquellos labios? Y, sobre todo, ¿por qué permitía que el deseo la dominara? Intelectualmente, no tenía la menor intención de acariciar los labios de Grant. Sin embargo, su cuerpo era otra cosa.

—Puede que no, pero me gustaría conocer tantas como sea posible —replicó él.

Tessa lo miró a los ojos. No iba a permitir que la intimidara.

—¿Solo te gustaría? Parece que no lo tienes muy claro… Aunque no seré yo quien se queje.

Grant rio.

—Bueno, es que mi contrato incluye determinadas limitaciones.

Por primera vez en mucho tiempo, Tessa lamentó no medir unos cuantos centímetros más. Ser pequeña era una ventaja y un requisito para cualquier jinete, pero Grant era tan alto que se sentía minúscula en comparación.

—¿Tú contrato? ¿Insinúas que te han prohibido coquetear?

—Más que coquetear, seducir…

Tessa tragó saliva. Era consciente de que se estaba metiendo en terrenos peligrosos.

—¿Eso es lo que estabas haciendo? ¿Intentando seducirme?

Grant miró sus labios un par de segundos.

—Si intentara seducirte, lo sabrías de inmediato —contestó con humor—. Solo estaba flirteando… Una actividad perfectamente inocua.

Tessa no estaba segura de que hubiera algo inocuo en Grant Carter. Por lo menos, no en su irónica sonrisa y, por supuesto, tampoco en la suavidad de sus palabras, que la acariciaban como la brisa en un cálido día de verano.

Le gustaba hasta tal punto que empezaba a dudar de su decisión de seguir virgen. Y era el primer hombre que conseguía eso. Pero, por mucho que le tentara, el momento no podía ser peor. Entre la película y las carreras para las que se estaba preparando, no tenía tiempo de profundizar en lo que sentía.

Además, ¿por qué deseaba a una persona que, en principio, era un reflejo exacto del hombre del que se había separado unos meses antes? La había engañado, había intentado abusar de su posición y, cuando fracasó, intentó arruinar su carrera para que se viera obligada a casarse con él y a mudarse con él a la ciudad.

¿De verdad creía que le iba a dar dinero para su negocio? Si hubiera estado realmente enamorado de ella, si hubiera respetado su forma de ser y su profesión, lo habría apoyado con dinero y con cualquier cosa que necesitara. Pero cometió el error de plantearle un ultimátum. Y Tessa hizo lo único que podía hacer: largarlo con viento fresco.

—¿Quieres que lo incluyamos en tu programa de actividades? —preguntó Grant.

Ella sacudió la cabeza y lo miró con perplejidad.

—¿De qué estás hablando?

Él volvió a sonreír.

—Del coqueteo, naturalmente. ¿Puedo coquetear contigo en cualquier momento? ¿O solo en algún instante preciso de las horas que me concedes? —ironizó—. Estoy abierto a cualquier posibilidad… Soy un maestro de la multitarea. Pensándolo bien, creo que me limitaré a coquetear contigo cuando menos te lo esperes.

Tessa sintió el deseo de desabrocharse un botón de la camisa. De repente, tenía tanto calor que necesitaba un poco de aire. Pero hizo un esfuerzo y se contuvo. No quería que Grant se diera cuenta de que se la estaba ganando.

–En ese caso, estaré preparada –dijo, obligándose a mirarlo a los ojos.

–¿Preparada para mí? Lo dudo mucho, chica de campo...

Ella arqueó una ceja.

–¿Por qué tengo la sensación de que tienes un problema con tus hormonas? No parece que las controles muy bien.

–Oh, te aseguro que las controlo... Si no las controlara, ya te habría besado.

Las palabras de Grant la estremecieron. Pero se apoyó en la encimera, respiró hondo y se dijo que, si no podía evitar esas reacciones, sería mejor que se relajara y se dejara llevar.

–Pues menos mal que las controlas, porque cometerías un error si me besaras.

Tessa fue perfectamente consciente de que lo estaba provocando, y de que su provocación tendría una respuesta. Pero no podía hacer nada al respecto. Por mucho que lo negara, se sentía atraída por él. Y se odiaba por ello.

–¿Ah, sí? –Grant se acercó un poco más, sin dejar de sonreír–. ¿Por qué sería un error?

–Para empezar, porque no me siento cómoda con la película.

–¿Y para continuar?

–Porque no tengo tiempo –respondió–. Me estoy preparando para la primera de las carreras que, con un poco de suerte, me llevarán a conseguir la Triple Corona.

Él soltó una carcajada.

–Discúlpame, Tessa, pero no creo que un simple beso pueda truncar tus rutinas laborales –declaró–. Y, por lo demás, siempre investigo a fondo cuando tengo que rodar una película.

–Pues no pareces la clase de personas que investigan nada –objetó ella–. No pareces un hombre minucioso…

Súbitamente, Grant le puso las manos en las mejillas y se apretó contra su cuerpo, inclinándola sobre la encimera. Tessa se quedó inmóvil, esperando, con el corazón en un puño. Más consciente que nunca de su intensa sexualidad.

–Querida, yo soy minucioso con todo.

La besó, y ella se alegró de estar atrapada entre su cuerpo y la encimera de la cocina; porque, de lo contrario, se habría caído al suelo. Su asalto fue tan brusco y apasionado que despertó hasta la última de las zonas dormidas de Tessa.

Y, entonces, algo hizo clic en su interior. Como dos piezas que encajaran a la perfección.

La lengua y los labios de Grant consumían toda su energía y su capacidad de pensar. ¿Cómo era posible que sintiera un beso en todo el cuerpo? Un simple beso que, no obstante, le causaba oleada tras oleada de placer.

Incapaz de refrenarse, Tessa gimió y se aferró a sus poderosos bíceps. Un segundo después, Grant alzó la cabeza y la miró a los ojos.

–Lo siento. Por lo visto, no soy capaz de controlar mis hormonas.

–Ni de respetar tu contrato… –dijo, casi sin aire.

Grant sonrió.

–Bueno, no ha sido para tanto. No se puede decir que lo haya roto.

Él se fue por la puerta de atrás, y Tessa tardó unos segundos en caer en la cuenta de dos cosas: Grant se había marchado cuando aún faltaba una hora del tiempo que le había concedido; y ella no le había dado una copia del horario.

Suspiró, se sentó en un taburete y llegó a una conclusión: Grant Carter estaba en lo cierto. Hiciera lo que hiciera, nunca estaría preparada para él. Siempre encontraba la forma de pillarla por sorpresa.

Capítulo Tres

Grant miró el horario que estaba en la cocina de la cabaña donde se alojaba. Aunque, por otra parte, no se podía decir que aquello encajara en el concepto de cabaña. Era una casa de doscientos metros cuadrados, con un cuarto de baño gigantesco y un patio que daba a los establos.

Alcanzó el café que acababa de preparar y echó otro vistazo al papel, lleno de colorines. La obsesa de la organización debía de estar muy enfadada. Según el horario, que había encontrado la noche anterior en la puerta principal, ya llegaba cinco minutos tarde a su cita. Sin embargo, no era culpa suya. Bronson Dane lo había llamado por un asunto relativo al alojamiento del equipo de rodaje, y no había tenido más remedio que hablar con él.

Tomó un poco más de café y dejó la taza a un lado. Estaba medio llena, pero no tenía tiempo de terminárselo. Sospechaba que Tessa no se mostraría comprensiva con su tardanza.

¿Por qué se sentía como si fuera un niño al que habían llamado al despacho del director? Ni él era menor de edad ni ella tenía poder alguno sobre su vida. Pero, a pesar de ello, se guardó la llave de la cabaña y salió a toda prisa.

Los establos eran un edificio enorme, de dos pisos de altura, con paredes de piedra y superficies de madera que, en su opinión, serían un fondo perfecto para muchas escenas de la película. Tenía un aire de riqueza y poder, como el propio Damon Barrington.

Ya estaba a punto de entrar cuando vio que Tessa se disponía a salir a lomos de un purasangre. Grant se detuvo y se limitó a admirar la escena, en calidad de productor y de hombre.

Se había recogido el pelo en una coleta, y el largo mechón de cabello rojizo oscilaba a uno y otro lado con el movimiento del animal. Llevaba una camisa blanca y unos pantalones tan maravillosamente ajustados a su figura que Grant sintió el deseo de acariciarle las caderas. Tessa era baja y de aspecto delicado, pero con curvas que habrían vuelto loco a cualquier heterosexual.

—¿Qué haces ahí? —preguntó ella al verlo.

—Mirar —contestó con una sonrisa.

Tessa arqueó una ceja.

—¿Mirar los establos? ¿O mirarme a mí?

Grant rio.

—Las dos cosas.

—Buena contestación. Pero espero que tengas alguna excusa para tu retraso.

Grant se encogió de hombros y se acercó a ella.

—¿Es que me sería de utilidad?

—¿Una excusa? No.

—Entonces, no te daré ninguna.

—Mejor.

Tessa llevó su montura hacia uno de los cercados.

—Supuse que no ibas a venir —continuó—, así que he ensillado a Romeo para practicar un poco. Pero, si quieres que hablemos, lo dejaré para otro momento.

Grant no quería hablar ni hacer preguntas. Solo quería admirar sus gráciles y eficaces movimientos.

–Bueno, supongo que deberíamos trabajar…

–Muy bien.

Tessa desmontó y devolvió el caballo a los establos, donde le quitó la silla y lo empezó a cepillar.

–Romeo va a ser un gran caballo de carreras. Su padre era un ganador, y estoy segura de que él también lo será –explicó.

–¿Cuándo podrá competir?

–Según Cassie, el año que viene –respondió–. Todavía no está preparado.

Tessa se puso al otro lado del caballo y lo siguió cepillando. Grant miró sus manos y empezó a pensar en lo que podrían hacer en su cuerpo.

–¿Tienes algún hipódromo preferido?

Ella sonrió de oreja a oreja.

–Sí, cualquier hipódromo donde gane.

Grant se acercó un poco, pero manteniendo las distancias.

–¿Cuántos años tenías cuando empezaste a montar?

–Oficialmente, dieciocho. Pero llevo toda la vida entre caballos –respondió ella, sin dejar de cepillar al animal–. Casi no he hecho otra cosa… Me gusta tanto que hasta me perdí el baile de fin de curso del instituto. Prefería estar aquí.

–Supongo que no habrá ningún sitio en el rancho donde no hayas estado…

–Supones bien. Cuando no salgo a montar por trabajo, salgo a montar por diversión.

–En ese caso, ¿por qué no me lo enseñas?

–Sería un placer. Pero has llegado tarde, y tu tiempo se está acabando. No podríamos ver gran cosa –respondió.

–Eso no es justo –protestó él–. Tú tampoco estabas preparada cuando he llegado.

31

–Porque pensé que no ibas a venir.

–Vamos, Tessa… –insistió Grant–. Sé un poco más flexible.

Tessa lo miró con cara de pocos amigos; pero, tras unos momentos de silencio, dejó el cepillo a un lado, se dirigió a la parte delantera de las caballerizas y dijo:

–Sígueme.

Grant la siguió, encantado. Sobre todo, porque tenía una vista preciosa de sus oscilantes nalgas.

–¿No vamos a ir a caballo? –se interesó.

–No –dijo ella, sin detenerse.

Él suspiró. No podía permitir que el miedo lo dominara, pero se sintió aliviado al saber que no tendría que montar.

–Entonces, ¿iremos en coche?

–No exactamente.

Tessa lo llevó a otro de los edificios del rancho, y se subió a un vehículo muy particular: una moto de cuatro ruedas.

–¿Un *quad*? –preguntó él, perplejo.

–Sube, guapo –ironizó ella–. Te enseñaré las zonas más bonitas.

Grant se dijo que, para zonas bonitas, las suyas. Sin embargo, guardó silencio.

–No te importa que conduzca, ¿verdad?

Tessa le lanzó una mirada intensa. Inclinada sobre el manillar y con las piernas separadas, estaba tan tentadora que Grant tuvo que hacer un esfuerzo por refrenarse. Además, sabía que le tomaba el pelo. Solo le quería provocar.

Pero a ese juego podían jugar los dos.

Se sentó detrás y se apretó tanto como pudo contra su cuerpo, cerrando las piernas sobre sus muslos. Después, le puso las manos en la cintura y le susurró:

–No me importa en absoluto.

Ella giró la cabeza, lo justo para poder mirarlo a los ojos.

–No compliques las cosas, guapo.

–Descuida. No tengo intención de complicar nada.

Tessa giró la llave de contacto y arrancó. Pero tan deprisa, que Grant se tuvo que aferrar a ella para no salir despedido.

Grant la rodeaba con sus brazos y sus piernas. Y, en lugar de sentirse atrapada o agobiada, se sentía excitada y ansiosa.

Aquel hombre la tenía todo el tiempo en ascuas. Nunca sabía lo que iba a hacer o a decir. Pero sabía una cosa: que no iba a permitir que sus hormonas la traicionaran. A fin de cuentas, no estaban precisamente acostumbradas a tomar el control de la situación.

Además, ningún chico de ciudad la iba a alejar de lo que más deseaba: ganar la Triple Corona. Por muy atractivo que fuera.

Sin embargo, eso no impedía que se sintiera tan delicada como protegida entre sus brazos. Y no quería sentirse así. Estaba contenta con la vida que llevaba o, por lo menos, con la vida que había llevado hasta que Grant llegó al rancho con sus miradas cálidas y su cara sin afeitar.

Mientras avanzaban entre graneros y otros edificios, echó un vistazo al domicilio de Cassie y frunció el ceño. Su hermana le había enviado un mensaje para decirle que Emily tenía fiebre y que la iba a llevar al ambulatorio. Esperaba que no fuera grave y que no trastocara demasiado su trabajo, porque Cassie no tenía tiempo para nada. Se veía en la obligación de compaginar la crianza de la niña con su empleo como adiestradora de Stony Ridge. Y, por si eso fuera poco, se habían quedado sin mozo de cuadra.

Aceleró y se dirigió hacia el lugar que, desde su punto de vista, era el más bonito de la propiedad. Estaba segura de que a Grant le encantaría, y de que rodarían en él alguna de las escenas de la película. Especialmente, porque estaba ligado a la historia de Damon y Rose.

Al pensar en su madre, Tessa se emocionó. Habían pasado muchos años desde su fallecimiento, pero la echaba de menos constantemente. Su marcha le había dejado un vacío que nadie podía llenar.

Momentos después, detuvo el quad y esperó a la reacción de su acompañante.

–Guau… –dijo Grant ante las vistas–. Esto es precioso.

Ella asintió. Estaban en lo alto de una colina desde la que se veía un valle y una laguna rodeada de pinos y abetos, cuyas aguas brillaban bajo la luz del sol.

–Vengo aquí cuando necesito relajarme –le confesó–. Es un lugar muy tranquilo.

Tessa se giró un poco y vio que Grant miraba el paisaje como si nunca hubiera visto nada tan bello. Quiso empaparse de su expresión y de sus rasgos pero ¿de qué habría servido? No se iba a quedar; y, aunque se quedara, ella no tenía tiempo para una relación amorosa. De hecho, ni siquiera estaba buscando una relación amorosa.

Además, dudaba de que Grant se sintiera atraído por una mujer virgen. Aunque, evidentemente, él desconocía ese detalle. Y no tenía intención alguna de compartirlo.

–¿Quieres que te lleve abajo? –le preguntó.

–Sí, por favor.

Tessa arrancó de nuevo y condujo el vehículo por la pequeña pendiente, hacia la laguna. Cuando llegaron a la orilla, Grant bajó del *quad* y le ofreció una mano, que ella aceptó. Si quería interpretar el papel de hombre caballeroso, le dejaría hacer.

Luego, él la soltó y ella miró la superficie del agua. Como estaban detrás de la colina, ya no podían ver la casa principal.

–Mi padre y mi madre venían aquí con frecuencia de picnic –le informó–. Recuerdo que, cuando Cassie y yo éramos niñas, ella nos contaba un montón de historias sobre su relación.

Tessa suspiró y siguió hablando.

–Nunca me cansaba de oírlas… Esas cosas son importantes para los niños, ¿sabes? Tener unos padres que se aman y que lo demuestran –dijo–. De ese modo, se acostumbran al amor y aprenden a no contentarse con menos cuando crecen.

Grant la miró. Las puntas de su coleta bailaban con la brisa. Tenía la mirada perdida en la distancia y los brazos cruzados sobre el pecho.

En el fondo, Tessa Barrington era una romántica.

–¿Por eso estás sola? ¿Porque no has encontrado el amor verdadero?

Ella arqueó una ceja.

–De momento, no tengo tiempo para esas cosas. Estoy demasiado ocupada –contestó–. Pero, ¿qué me dices de ti?

Grant rio.

–A decir verdad, me encantaría sentar cabeza… Mi familia se parece bastante a la tuya. Y también creo que es importante que los padres se amen y que demuestren su amor –afirmó–. Cuando tenga

35

hijos, me encargaré de que sepan lo mucho que quiero a su madre.

Tessa se quedó boquiabierta.

–¿Por qué me miras así? ¿No pensabas que quisiera tener hijos?

–Sinceramente, no…

Ella apartó la mirada y cambió de conversación, nerviosa.

–Cuando me quiero relajar, ensillo a Oliver y salgo a montar un rato. Siempre viene a la laguna. Y últimamente…

Grant esperó a que Tessa terminara la frase, pero no la terminó. Se había quedado muy seria, con expresión triste.

–¿Qué ocurre últimamente? ¿Estás estresada con tu trabajo?

–No más de lo habitual –contestó–. Además, mi trabajo me gusta, no tengo motivos para quejarme.

Tessa se inclinó y se sentó en el suelo.

–Ponte cómodo –continuó–. Salvo que tengas miedo de mancharte tus flamantes y caros pantalones…

Grant estuvo a punto de decir que sus pantalones no eran ni nuevos ni caros, pero guardó silencio y se acomodó a su lado, más cerca de lo que Tessa habría querido.

–Supongo que no vas mucho al campo –dijo ella.

Él sonrió para sus adentros. Había crecido en el corazón de Kentucky, en una casita rodeada de flores silvestres y tierras de labor. Sin embargo, Tessa no necesitaba saberlo. Se había formado una imagen equivocada de él, pero no la rompería con palabras, sino con hechos.

–Voy cuando puedo. De hecho, me gusta tanto como la ciudad, aunque por motivos distintos.

–Sin embargo, eres un chico de ciudad –objetó Tessa–. ¿Estás seguro de que soportarás un mes entero en un rancho?

Incapaz de refrenarse, Grant le apartó un mechón de la cara y le acarició la mejilla.

–Creo que me las arreglaré –contestó en voz baja.

Ella lo miró con intensidad y, a continuación, se giró hacia la laguna. Grant pensó que su imagen de mujer dura era simple fachada, y deseó apartar las capas que ocultaban su corazón hasta descubrir su verdadero ser.

Pero estaba allí para hacer un trabajo. No para seducir a nadie.

–¿Hay más sitios que te parezcan especiales? En el rancho, quiero decir.

–Sí, hay otro. Una cabaña vieja que está en la linde de la propiedad, en un bosquecillo –respondió–. Fue el primer edificio del rancho. Lo construyeron mucho antes de que mi padre se mudara a Stony Ridge, pero no lo derribó. Es el sitio donde le pidió a mi madre que se casara con él. Cassie y yo jugábamos dentro cuando éramos niñas.

–Enséñamelo.

Grant se puso en pie y le ofreció una mano para ayudarla a levantarse. Ella dudó, pero aceptó el ofrecimiento. Y, antes de que se diera cuenta de lo que pasaba, se encontró entre sus brazos.

Paradójicamente, Grant fue el primer sorprendido. ¿Qué demonios estaba haciendo? Se había prometido a sí mismo que no volvería a mezclar el trabajo con el placer. Y, sin embargo, cada vez que estaban juntos, sentía algo que no podía explicar y se veía arrastrado hacia ella.

Tessa respiró hondo, sin apartar de él sus grandes ojos azules. Grant no sabía qué hacer ni qué decir. Se suponía que era un profesional y que había aprendido de sus errores. No se podía permitir el lujo de dejarse dominar por el deseo. Si seguía por ese camino, se arriesgaba a que lo despidieran cuando ni siquiera habían empezado a rodar la película.

–¿Y tú, Tessa? –preguntó, admirando sus labios–. ¿Solo puedes vivir en el campo? ¿O podrías vivir en la gran ciudad?

Ella le lanzó una mirada cargada de ira. Luego, echó un vistazo al reloj y dijo:

–Solo te quedan veinte minutos. Será mejor que te lleve a ver esa cabaña.

Grant no entendió su reacción. En principio, no había dicho nada que mereciera una actitud tan cortante. Pero, fuera cual fuera el motivo de su enfado, tuvo la certeza de que no tenía nada que ver con el contacto físico de sus cuerpos.

Lo había visto en sus ojos. Tessa lo deseaba.

En silencio, la siguió hasta el *quad* y se montó detrás. Pero, esta vez, se abstuvo de ponerle las manos en la cintura.

Sabía que no habría reaccionado bien.

Capítulo Cuatro

Grant no se cansaba de mirar a Tessa Barrington. Montaba a caballo como si no le costara esfuerzo alguno, con una belleza asombrosa. Era una exhibición de energía, determinación y elegancia.

De repente, Tessa cambió de rumbo y se dirigió hacia él, que estaba allí por simple y puro placer. Aquel día no tenía cita con ella. No le había concedido ni un minuto de su tiempo. Pero Grant necesitaba mirarla y aprender algo más sobre la mujer que ocupaba sus pensamientos.

—Es muy buena, ¿verdad?

Grant se giró al oír la voz y se encontró ante unos ojos tan azules como los de Tessa.

—Desde luego –contestó–. Supongo que eres Cassie…

—En efecto.

—¿Y quién es esa preciosidad? –preguntó, refiriéndose a la niña que llevaba en brazos.

Cassie sonrió de oreja a oreja.

—Emily. Mi hija.

Grant acarició los rubios rizos de la pequeña, que asomaban bajo una gorrita de color verde.

—¿Qué edad tiene?

—Acaba de cumplir un año.

Cassie lanzó una mirada a su hermana, y Grant aprovechó para admirar su perfil. Era tan bella como Tessa, pero de aspecto frágil y un aire triste que no le sorprendió. A fin de cuentas, sabía lo que le había pasado con su exmarido.

Pero en sus ojos, que seguían clavados en Tessa, había algo más. Un destello de preocupación.

–Veo que estás preocupada por ella –afirmó.

–Sí, lo estoy. A veces se fuerza en exceso –contestó–. Hoy ya había practicado con Don Pedro, pero están hechos el uno para el otro y no son felices si no corren. En mi opinión, debería tomarse las cosas con más calma.

Grant asintió. Solo llevaba unos días en Stony Ridge, pero había observado que Tessa estaba todo el día con los caballos.

–¿No se divierte nunca?

–Esa es su forma de divertirse. Vive para las carreras.

Por una parte, Grant admiraba el denuedo y la determinación de Tessa, virtudes que él mismo tenía en su trabajo; por otra, le entristecía que toda su vida girara alrededor de los caballos.

–¿No sale con nadie?

Cassie se giró hacia él.

–Acaba de salir de una relación. Por eso se fuerza más que de costumbre.

Grant sintió curiosidad, pero no se atrevió a interesarse al respecto.

–¿Cuándo llega el resto de tu equipo? –preguntó ella, cambiando de tema.

–Dentro de unas semanas.

–Lástima. Estoy deseando que empiece el rodaje.

Grant rio.

–No sabía que te entusiasmara tanto.

Ella se encogió de hombros.

–¿Cómo no me va a entusiasmar? Mi padre es un hombre maravilloso. Me alegra mucho que vayan a rodar una película sobre su vida.

—Desgraciadamente, tu hermana no piensa lo mismo que tú —observó.

—Lo sé. Pero, aunque no estemos de acuerdo, reconozco que tiene motivos para no alegrarse.

—Y supongo que no me los vas a contar...

Cassie soltó una carcajada.

—No.

Justo entonces, Emily se empezó a mover con nerviosismo.

—Será mejor que vuelva a casa y prepare la cena a mi hija. Ha sido un placer, Grant. Tenía muchas ganas de hablar contigo.

—Bueno, estoy seguro de que tendremos muchas más ocasiones de hablar.

Cassie sonrió y se fue. Grant buscó a Tessa con la mirada, pero había desaparecido; así que se apartó de la cerca y entró en los establos.

La encontró en el interior, desensillando a Don Pedro, y pensó que hasta el nombre del caballo demostraba que Tessa Barrington era una romántica. Lo había llamado así por el protagonista de *Mucho ruido y pocas nueces*, la famosa comedia de William Shakespeare.

—Acabo de conocer a tu hermana.

Tessa ni siquiera se giró hacia él. Dejó la silla a un lado y se puso a cepillar al animal como si estuvieran completamente solos.

—Cassie está encantada con la película... —insistió Grant.

Tessa no reaccionó, así que Grant lo intentó de nuevo.

—Hace un día precioso. Deberíamos...

—¿Qué estás haciendo aquí? —lo interrumpió de mala manera.

—Trabajar.

–Sabes perfectamente que no me refería a tu presencia en el rancho, sino a tu presencia aquí, en las caballerizas. ¿Qué diablos quieres, Grant?

–Nada en absoluto. Solo te estaba mirando. Tienes un talento asombroso.

Tessa puso los brazos en jarras, lo cual le tensó la camiseta en los pechos. Grant tuvo que concentrarse a fondo para no mirarlos.

–Se supone que tendrías que estar rodando una película. No admirando el cuerpo de mi hermana –bramó.

La sorpresa de Grant se convirtió en una sonrisa, que tuvo cuidado de no llevar a los labios. Por increíble que fuera, Tessa estaba celosa de su hermana.

–Yo no estaba mirando a tu hermana –se defendió, muy serio–. Te estaba mirando a ti… Y trabajando al mismo tiempo.

–Venga ya –dijo con desconfianza.

Él se cruzó de brazos.

–Vamos a rodar una película, Tessa. Puede que te sorprenda, pero mi trabajo incluye cosas como mirar el cielo para saber cómo cae la luz del sol en determinado momento y qué tipo de sombras proyecta en las posibles localizaciones –explicó–. En cuanto a tu hermana, solo se ha acercado a saludarme. No habíamos tenido ocasión de conocernos.

Tessa se ruborizó ligeramente.

–Pero me sorprende un poco tu actitud –continuó él–. Si yo no te intereso, ¿por qué te preocupa la posibilidad de que Cassie me guste?

Grant no esperó a que respondiera. Se dio la vuelta, salió de los establos y no se detuvo hasta llegar a su cabaña. Era lo único que podía hacer. Porque si se hubiera quedado allí, le habría borrado el enfado con un beso.

***

Ya había anochecido cuando Tessa se detuvo ante la cabaña de Grant. Se había repetido una y otra vez que no tenía motivos para pedirle disculpas, pero era consciente de que los tenía. Y, como era una mujer educada, se sintió en la obligación de hablar con él.

Llamó a la puerta con un golpe casi imperceptible, deseando que no lo oyera. Pero Grant abrió la puerta un segundo después.

—Hola, Tessa… ¿Qué estás haciendo aquí?

Tessa se esforzó por mirarlo a la cara, aunque fue difícil. Grant acababa de salir de la ducha y no llevaba más ropa que una toalla en la cintura.

—He venido a disculparme —acertó a decir.

—Pasa, por favor. —Grant sonrió y la invitó a entrar.

—¿No te vas a vestir antes?

Él soltó una carcajada.

—¿Prefieres que me vista?

—Sí, sería lo mejor…

—Está bien, como quieras.

Grant cerró la puerta y se dirigió al dormitorio. Mientras Tessa esperaba, echó un vistazo a su alrededor y se fijó en la camisa que estaba en el sofá y en las zapatillas deportivas de la entrada. Había un olor fresco en el ambiente, a hombre recién salido de la ducha. Y le gustó tanto que hasta olvidó el motivo de su visita.

—¿Quieres una copa?

Tessa se sobresaltó un poco al oír su voz. Se había puesto una camiseta y unos vaqueros.

—No, gracias. Solo quiero disculparme por haber sido grosera.

Él se apoyó en el borde del sofá y se cruzó de brazos.

–¿Grosera? No, no has sido grosera… Has sido sincera, que es muy distinto –afirmó–. Y reconozco que tus celos me halagan.

–Yo no estaba celosa –mintió–. He reaccionado así porque me preocupo por Cassie. Conozco a los tipos como tú.

Grant arqueó una ceja y volvió a sonreír.

–¿Los tipos como yo?

–Hombres de grandes ciudades que se creen capaces de seducir a cualquier mujer –respondió con firmeza–. Puede que haya malinterpretado tus intenciones, pero no quería que te hicieras ilusiones con mi hermana.

–No te preocupes por eso. Mis ilusiones no están relacionadas con Cassie, sino contigo.

Tessa intentó no sentirse encantada por el comentario, pero fracasó. Y como no se creía capaz de resistirse a sus encantos, dio media vuelta y se dirigió a la salida. Al fin y al cabo, ya había dicho lo que tenía que decir.

Pero Grant se le adelantó.

–Hay algo que no entiendo. Si querías disculparte, podrías habérmelo dicho mañana. ¿Por qué has venido aquí?

–Porque tenemos que trabajar juntos, y no quiero situaciones extrañas. Prefiero que aclaremos las cosas cuanto antes.

–Yo también lo prefiero.

Él bajó la cabeza y le puso una mano en la mejilla. Tessa se descubrió con la espalda contra la pared, sin poder huir. Pero no quería huir. Sus labios eran tan perfectos y apetecibles que, sin darse cuenta de lo que hacía, abrió la boca en muda invitación.

Sus lenguas se encontraron en una caricia que la estremeció de arriba abajo. Y cuando ya estaba a punto de rendirse por completo, Grant dio un paso atrás y la miró a los ojos.

–Espero que haya quedado claro –dijo–, porque tengo intención de besarte más veces.

Ella no sabía qué decir. Casi no podía pensar.

¿Cómo era posible que hubieran terminado entre sus brazos? Solo quería hablar con él y pedirle disculpas por lo sucedido.

–¿Y qué pasará con...?

–¿La cláusula de mi contrato? –preguntó él, adivinando los pensamientos de Tessa–. Bueno, es evidente que yo también te gusto... Y si no se lo contamos a nadie, nadie se enterará.

–No estoy interesada en mantener una relación contigo –volvió a mentir–. Guarda tus encantos para otra mujer.

Grant la soltó.

–Ahora soy yo quien te debe una disculpa. Lo siento, Tessa. Me ha parecido que yo te gustaba, pero si dices que no te intereso... Será que me he equivocado.

Él se inclinó entonces y añadió en voz baja:

–O que estás mintiendo.

Tessa abrió la puerta a toda prisa.

–Buenas noches, Grant.

Momentos después, subió a su todoterreno y arrancó, asustada.

No lo quería creer, pero tenía la sensación de que Grant Carter era el hombre del que su difunta madre le había hablado tantas veces.

El hombre que aparecería un día y le robaría el corazón.

El hombre que había estado esperando.

Tessa se sacó las botas y las dejó junto a la puerta trasera de la casa. Después, se quitó el ancho jersey que llevaba y cruzó la cocina para dirigirse al servicio de su habitación. Necesitaba un buen baño caliente.

Había estado un buen rato en la cama, dando vueltas y más vueltas, su insomnio se debía a un productor de Hollywood que la había besado de un modo tan intenso y dulce como desconcertante. Si un simple beso le había proporcionado tanto placer, ¿qué ocurriría cuando Grant se dejara llevar y la tomara por completo, sin refrenar sus emociones?

Se puso la bata que estaba colgada de la puerta, volvió al dormitorio y encendió el portátil para conectarse a Internet.

Desgraciadamente, solo encontró datos que ya conocía y un par de detalles anecdóticos, como el hecho de que había nacido en Navidad y de que tenía una hermana gemela. Pero, al ver la fecha de su nacimiento…

Grant le sacaba diez años.

Gimió y se apoyó en los anchos cojines de la cama. Diez años era mucho.

Luego, se puso a mirar fotografías y se deprimió más. Había muy pocas en las que no estuviera acompañado de una mujer bella. ¿Sería posible que se echara una amante en cada rodaje?

Tessa desestimó la idea porque estaba informada de que el contrato de Grant prohibía ese tipo de cosas. Pero también sabía que era de los que rompían las normas cuando iban en contra de sus intereses.

En cualquier caso, sería mejor que tuviera cuidado con él. Grant era un hombre de Hollywood y ella, una mujer de la pequeña localidad virginiana de Dawkins. Sus mundos no podían ser más distintos. Y, aunque no creía que fuera un canalla como Aaron, había un buen motivo para desconfiar: que Grant le gustaba mucho más de lo que Aaron le había gustado nunca.

Grant estaba encantado con el día que tenían por delante. Tessa se había mostrado de acuerdo en salir de Stony Ridge y enseñarle la iglesia y la antigua tienda de ultramarinos de Dawkins, entre otros lugares históricos de la pintoresca localidad. Era una ocasión perfecta para revisar algunas de las localizaciones de la película y, de paso, para estar a solas con la mujer que ocupaba sus pensamientos.

La noche anterior había sido especialmente difícil para él. Como no podía dormir, se levantó y escribió a Bronson y a Anthony para enviarles las notas que había tomado durante los días anteriores. Cuando terminó, se asomó por la ventana y vio que el todoterreno de Tessa estaba aparcado junto a las caballerizas, lo cual significaba que había salido a montar.

Grant sintió el deseo irrefrenable de salir a su encuentro y besarla otra vez, para descubrir hasta dónde podía llegar la atracción que sentían. Pero se refrenó, y no precisamente porque le preocupara la dichosa cláusula del contrato.

Tessa empezaba a ser un peligro para él. Era la mujer más sexy y desconcertante que había conocido nunca. A veces, se mostraba tan cándida como una adolescente y, a veces, tan atrevida y segura como la más experta de las amantes.

Era una tentación que le podía salir muy cara.

Salió de la cabaña y se dirigió a los establos con media hora de antelación, decidido a llegar antes que Tessa. Pero Tessa ya estaba allí, con la misma apariencia de todos los días: botas de montar, camisa de manga larga, vaqueros ajustados y el pelo recogido en una coleta. Obviamente, no era una niña rica que jugaba a ser jinete. Era una jinete de la cabeza a los pies. Y a Grant le parecía la mujer más bella del mundo.

–Buenos días –dijo con brusquedad–. ¿Nos vamos?

Tessa subió al todoterreno. Grant se sentó a su lado y se abrochó el cinturón de seguridad. Estaba acostumbrado a que las mujeres lo trataran con afecto solo porque trabajaba en Hollywood y era famoso. Pero Tessa no era como la mayoría. No le importaba ni la fama ni el estatus social. Y eso aumentaba su atractivo.

–¿Qué te pasa? Estás muy seria esta mañana…

Tessa no respondió. Se limitó a arrancar y a tomar la carretera que llevaba a Dawkins, agarrando el volante con tanta fuerza que los nudillos se le pusieron blancos.

–¿Se puede saber qué ocurre? –insistió él.

–Ese beso –dijo en voz baja–. No quiero que me vuelvas a besar.

Grant arqueó una ceja.

–¿Es que no te gustó?

–No se trata de que me gustara o no me gustara –contestó, sin apartar la vista de la carretera–. No voy a ser la chica de la que abusas durante los rodajes de tus películas. Estoy demasiado ocupada, y no tengo tiempo para aventuras.

Grant se giró hacia ella, confundido y molesto a la vez.

–¿Por quién me has tomado, Tessa? Nunca he abusado de ninguna mujer –replicó–. Te besé porque me gustas, y porque sé que yo también te gusto a ti.

–Pero me sacas diez años.

Él se quedó perplejo.

–¿Y qué?

–Bueno, yo…

–¿Por qué te preocupa nuestra diferencia de edad?

–Porque yo seguía en el colegio cuando tú ya te habías sacado el carné de conducir.

Grant soltó una carcajada.

–Supongo que es verdad, pero ahora somos adultos.

–Adultos con historias muy distintas. Tienes mucha más experiencia que yo, y no permitiré que te aproveches de eso.

Grant sintió curiosidad. ¿Qué diablos le habría pasado?

–He sabido que tienes una hermana gemela –declaró ella de repente–. Lo leí en Internet…

Él se puso tenso.

–No quiero hablar de mi familia. No es asunto tuyo.

–¿Por qué no? Tú lo sabes casi todo de la mía…

–Olvídalo, Tessa.

Ella sacudió la cabeza y dijo:

–Muy bien. Lo olvidaré.

Grant suspiró. No quería hablar de su hermana.

–¿Puedes parar un momento? –preguntó.

Tessa le lanzó una mirada rápida.

–¿Por qué quieres que pare?

–Para, por favor.

Ella se encogió de hombros y detuvo el vehículo en el arcén de la carretera. Él se quitó el cinturón de seguridad, la tomó entre sus brazos y la besó apasionadamente durante unos segundos.

–No sé qué te ha pasado, Tessa –dijo después–. Supongo que te cruzaste con algún canalla que te rompió el corazón, pero ni yo soy esa persona ni tengo la menor intención de aprovecharme de ti.

Tessa parpadeó, desconcertada.

–Sé sincera conmigo –continuó él–. Es obvio que tu actitud no se debe a lo que está pasando entre nosotros. No estás enfadada por eso. Es por otra cosa.

Ella lo miró a los ojos.

–Olvídalo, Grant. No tiene importancia.

–Dímelo, Tessa –insistió–. ¿Qué te preocupa tanto?

–No es nada serio –dijo–. Es que…

–¿Sí?

–No sé, últimamente estoy un poco paranoica. Mi padre ha contratado a un mozo de cuadra que me da mala espina. Es un tipo extraño, muy silencioso.

–Ser silencioso no es ningún delito.

–No, pero tengo la sensación de que me vigila –declaró–. Puede que te parezca una estupidez, pero tengo miedo de que quiera hacer daño a los caballos o sabotear mi entrenamiento. Además, no sé casi nada de él. Solo sé que ha aparecido en el momento más oportuno, cuando más lo necesitábamos. Y lo encuentro muy sospechoso.

Grant pensó que la inquietud de Tessa carecía de base real; pero su preocupación era indiscutible, y decidió investigarlo de todas formas. Había demasiadas cosas en juego. Empezando por la carrera de Tessa y terminando por el rodaje de la película.

–Pero, por otra parte, no ha hecho nada que justifique mis temores –prosiguió ella–. Trabaja duro y tiene buenas referencias profesionales… Puede que mi recelo se deba a lo que pasó con el ex de Cassie. También pensamos que podíamos confiar en él.

Grant le acarició la mejilla.

–No te preocupes. Lo investigaré por mi cuenta.

Ella lo miró con sorpresa.

–¿En serio?

–Claro que sí. No me puedo permitir el lujo de que un chalado nos reviente la película.

Tessa asintió, se apartó de él y arrancó el coche.

Grant fue consciente de que sus palabras le habían dolido, pero no le podía decir la verdad: que no iba a investigar a aquel hombre porque le preocupara la película, sino porque no soportaba la idea de que se aprovecharan de ella.

Habría sido tanto como admitir que la quería. Y no estaba preparado para eso.

Grant pensó que la tienda de ultramarinos tenía posibilidades; no merecía una escena entera, pero se podía utilizar como trasfondo de alguna escena secundaria. En cambio, la iglesia y su cementerio eran tan pintorescos que, en su opinión, merecían varios minutos de la película.

–Mis padres se casaron aquí –declaró Tessa cuando llegaron–. Como ves, es bastante pequeña… pero mi madre quería una boda tranquila, con poca gente. Era muy celosa de su espacio y de su libertad.

Grant sonrió y bajo del vehículo.

–Tan celosa como tú –dijo.

Tessa observó la escalera de la entrada y los altos ventanales durante unos segundos. Luego, se giró y buscó la tumba de su madre con la mirada. La echaba terriblemente de menos.

–¿Quieres ir a su tumba? –preguntó Grant.

Ella asintió lentamente.

–Sí, pero no hace falta que me acompañes –contestó.

Grant la tomó de la mano y la llevó hacia la entrada del cementerio, donde Tessa le indicó la dirección de la tumba. Estaba a la sombra de un roble muy grande y, como hacía fresco, Grant le pasó un brazo por encima de los hombros.

–Supongo que debería haberme acostumbrado a su ausencia, pero... desde que murió, me siento como si me hubieran quitado una parte de mí.

Grant miró la sencilla lápida negra, en la que habían esculpido una rosa y un nombre: «Rose Barrington».

–Era tu madre, Tessa. Es lógico que le eches de menos.

–Sí, pero hay que aprender a superar estas cosas –dijo en voz baja–. Es lo único que se puede hacer.

Grant no supo qué decir, así que no dijo nada. Además, no había necesidad de romper el silencio con palabras inútiles.

Tessa se inclinó, puso una mano sobre el nombre tallado de su madre y susurró algo. Él comprendió que necesitaba un poco de intimidad y retrocedió un par de metros.

Grant se acordó de su propia familia y se angustió. Los lazos que había creído irrompibles se habían roto. Y todo por su culpa.

–¿Te encuentras bien?

Grant se había quedado tan sumido en sus pensamientos que se sorprendió al oír la voz de Tessa.

–¿Cómo... ? Ah, sí, no te preocupes –contestó–. Me he apartado de ti para que tuvieras unos momentos de intimidad.

Ella se puso a caminar por el cementerio, y él la siguió. Cuando llegaron a la iglesia, que estaba rodeada de árboles, Tessa la admiró y dijo:

–Aún tengo el vestido de novia de mi madre. Está viejo, pero es tan sencillo y elegante que, si alguna vez me caso, me lo pondré.

Grant sonrió.

–Conociéndote, estoy seguro que ya has planeado tu boda hasta el último de los detalles.

Ella entrecerró los ojos y alzó la barbilla con orgullo.

–¿Y qué si la he planeado?

Grant rompió a reír.

–No te pongas a la defensiva. No era una crítica. Hay personas que no están hechas para ser espontáneas… No se saben relajar.

Ella se cruzó de brazos.

–Yo sé relajarme. De hecho, no podría estar más relajada.

Grant dio un paso adelante y Tessa retrocedió. Grant dio otro paso y Tessa volvió a retroceder, pero se descubrió con la espalda contra un sauce.

Entonces, él apoyó una mano en el tronco y sonrió con picardía.

–¿Seguro que estás relajada? Discúlpame, pero solo te relajas cuando te beso. Trabajas demasiado y descansas muy poco.

–Eso no es verdad.

Grant le acarició el cuello.

–¿Ah, no?

Tessa se limitó a mirarlo a los ojos, conteniendo la respiración.

–En ese caso… cena conmigo –continuó él.

–No creo que sea una buena idea.

–Por supuesto que lo es. –Grant se apartó para

dejarla respirar–. Elige el día y la hora que más te guste. Así me aseguraré de que descanses una noche entera.

–Eso no es posible. Estoy muy ocupada y, además…

–¿Sí?

–No puedo pensar cuando estoy contigo –dijo en voz baja–. Deseo cosas que no puedo tener, cosas que… Olvídalo, Grant. No estoy preparada para mantener una relación.

–¿No estás preparada para mí? ¿O no estás preparada para nadie? –la presionó.

–Para nadie –afirmó ella–. Y, por si eso fuera poco, tú y yo no podríamos ser más distintos… Cuando termine el rodaje de esa película, te marcharás y olvidarás todo lo que ha pasado. No voy a ser una conquista más en tu historial amoroso.

Grant se metió las manos en los bolsillos.

–Solo quiero que cenes conmigo, Tessa. No te estoy ofreciendo una relación sexual tan tórrida que llame la atención de los periódicos.

–¿Lo dices en serio? ¿Solo quieres cenar?

–A menos que me encuentres irresistible y te abalances sobre mí –dijo con humor–. Pero en ese caso, tendremos que mantenerlo en secreto. Si mis jefes se enteraran, me despedirían.

–Bueno, estoy segura de que no me abalanzaré sobre ti –ironizo–. Siempre que mantengas tus labios lejos de mi boca.

Grant arqueó una ceja.

–Eres una negociadora muy dura… Pero no te preocupes por eso. Quiero que te relajes, así que abstendré de besarte.

–Entonces, trato hecho.

–Magnífico… ¿Cuándo quedamos?

Ella sacó su teléfono móvil y comprobó su agenda antes de responder.

–Mañana, a las siete.

–Muy bien. Te esperaré en mi cabaña. Ah, y no te pongas nada demasiado elegante…

–¿En tu cabaña? ¿No vas a pasar a recogerme?

Grant se encogió de hombros.

–Si pasara a recogerte, parecería una cita de verdad –observó–. Pero hemos quedado en que solo será una cena…

–Eso es cierto. Y será mejor que lo recuerdes.

Grant se sintió como si le hubiera tocado la lotería. Había conseguido el milagro de que Tessa cenara con él y, además, de que se comprometiera a relajarse.

Y todo, a cambio de no darle ningún beso.

Pero nadie había dicho que no la pudiera acariciar.

Capítulo Cinco

Tessa estuvo a punto de soltar una carcajada. Desde luego, tenía vestidos apropiados para los actos públicos a los se veía obligada a asistir; pero los tenía en el fondo de armario, acumulando polvo.

Tras ayudar a Cassie a limpiar las caballerizas, se duchó y se puso unos vaqueros y una camisa blanca que se remangó. Acto seguido, alcanzó sus mejores botas negras, se las calzó y combinó el conjunto con una sencilla chaqueta verde. El tiempo había empeorado un poco, y haría más frío cuando volvieran al rancho, de noche.

Ya se disponía a salir cuando le asaltaron las dudas. ¿Por qué había permitido que la convenciera? Grant le gustaba mucho, pero no le convenía. No podía cometer el error de dejarse arrastrar a su mundo de glamour; un mundo del que había escapado por los pelos al darse cuenta de que Aaron solo estaba interesado en su fortuna.

Sin embargo, no lo podía evitar. Y no era justo que lo comparara con su antiguo novio, porque la trataba con respeto y cariño.

Grant parecía sinceramente preocupado por sus sentimientos. Se lo había demostrado junto a la tumba de Rose y, por otra parte, estaba decidido a que los Barrington quedaran bien en la película. No era ningún canalla. Era un hombre complejo, con muchas capas distintas, y todas apetecibles.

Justo entonces, se acordó de la reacción que había tenido cuando sacó el asunto de su hermana gemela. ¿Por qué le había molestado tanto?

Cada vez le gustaba más. Poco a poco, se había convertido en un amigo con el que ansiaba estar, charlar, pasar el rato. Un amigo que le daba miedo porque lo deseaba con toda su alma, a pesar de sí misma; y porque era perfectamente consciente de lo que podía pasar si se rendía al deseo.

Pero no había quedado con él para hacer el amor. Solo era una cena.

Además, tenía demasiados problemas como para perder el tiempo con una relación amorosa. Para empezar, la inminente temporada de carreras y, para continuar, sus sospechas sobre el nuevo mozo de cuadra. Damon creía que estaba exagerando, que imaginaba cosas porque se había quedado escaldada con el exmarido de Cassie; pero el instinto le decía que no se fiara de él. Aquella misma tarde, en los establos, le había parecido que se mantenía cerca de ellas para escuchar su conversación.

Fuera como fuera, Grant la estaba esperando; así que se subió al todoterreno y se dirigió a la cabaña. Faltaban pocos minutos para el anochecer.

Cuando llegó, bajó del vehículo y alzó la mano para llamar a la puerta, pero él abrió antes.

—Hola, Tessa.

Tessa rompió a reír.

—¿Qué demonios te has puesto?

Grant bajó la mirada.

—Un delantal —contestó—. ¿No usas delantal cuando cocinas?

—Pensé que me ibas a llevar a un restaurante…

—Yo no dije nada de ningún restaurante. Solo te invité a cenar —le recordó él—. Además, sospecho que no te relajarías si te llevara a un establecimiento público.

Tessa no se lo pudo discutir. Tenía razón.

—Pues si la cena sabe tan bien como huele...

Grant se encogió de hombros y la acompañó a la cocina.

—No es gran cosa. Solo un pollo al horno, aunque lo he preparado con una de las salsas de mi madre –le explicó–. También hay ensalada y puré de patatas. Espero que te guste.

—Ya has conseguido que la boca se me haga agua –admitió.

Él le lanzó una mirada intensa y dijo:

—Como mi boca cuando te miro a ti.

Tessa se estremeció, encantada. Pero no se le ocurrió ninguna réplica, de modo que se limitó a quitarse la chaqueta y a colgarla en un gancho de la puerta de atrás.

Tras unos segundos de silencio, preguntó:

—¿Puedo ayudar en algo?

—No hace falta. La cena está preparada, y ya he puesto la mesa.

Grant se quitó el delantal y llevó la comida al salón, donde se sentaron. Tessa se alegró al ver que no había decorado el lugar con flores o velas encendidas. Estar con él ya era suficiente romántico. Y suficiente inquietante.

Pero, para su sorpresa, fue una velada tan agradable como tranquila. Hablaron de cosas sin importancia, y Grant no coqueteó con ella en ningún momento.

Cuando terminaron de cenar, Tessa se levantó de la mesa y alcanzó su plato.

—No, deja las cosas donde están –intervino él–. Ya me encargaré más tarde.

–Oh, vamos… Tú has preparado la comida. Deja que te devuelva el favor.

–Está bien. Eres mi invitada, así que puedes hacer lo que quieras.

Ella llevó los platos a la cocina.

–Técnicamente, el invitado eres tú –observó–. A fin de cuentas, estás en tierras de mi familia.

Tessa abrió el grifo de la pila y empezó a limpiar los platos. Momentos después, él se acercó por detrás y le pasó los brazos alrededor de la cintura.

–No te estás relajando –dijo en un susurro.

–Claro que sí –se defendió–. Estoy absolutamente relajada. Solo quiero ayudar.

Él le sacó la camisa de los pantalones, metió las manos bajo la tela y le acarició el estómago.

–Grant, ¿qué estás haciendo…?

–Te prometí que te relajaría.

–Me prometiste que no me besarías.

Grant rio.

–Y no te estoy besando. Te estoy acariciando –puntualizó–. Hay una gran diferencia.

Tessa dejó de lavar y se giró hacia él, incapaz de resistirse. No podía pensar con claridad. Intentó protestar de nuevo, pero lo hizo sin convicción alguna.

–No, Grant… Yo…

–¿Sí?

Tessa cerró los ojos y le pasó la mano por la mejilla. El tacto de su piel sin afeitar la excitó un poco más. Grant era muy masculino. Fuerte y potente; pero también cariñoso.

Mientras se tocaban, intentó recordar cuándo había sido la última vez que la habían tratado de ese modo, tan apasionada y dulcemente al mismo tiempo. Pero ni siquiera recordó cuándo se había permitido a sí misma el sencillo placer de ser deseable.

Tessa no era una ingenua. Sabía que Grant deseaba su cuerpo. Se lo había confesado de muchas formas distintas, y no la había engañado con promesas de compromisos que no pensaba cumplir. Sencillamente, la deseaba. Como ella lo deseaba a él. Y estaba más que dispuesta a dejarse llevar.

De repente, Grant apartó las manos de su estómago y las llevó a sus pechos, que acarició por encima del sostén.

Tessa gimió e intentó besarlo, pero él apartó la cabeza.

–¿Qué ocurre?

–Nada. Pero te prometí que no te besaría.

–En ese caso, te libero de la promesa.

Grant asaltó su boca con lujuria, y Tessa perdió el sentido del tiempo y del espacio.

Por fin estaba donde quería estar; apretada contra la dura superficie de su cuerpo, respondiendo a sus besos con la misma pasión que él le ofrecía.

Le pasó los brazos alrededor del cuello y, justo entonces, dudó. ¿Qué diablos estaba haciendo? Se suponía que no había ido a la cabaña con intención de acostarse con él.

Sus dudas se habrían esfumado en un instante si Grant no se hubiera apartado de su boca para darle un beso en la garganta con una habilidad que la estremeció. Sabía cómo besar, cómo tocar, qué hacer para seducir. Sabía cómo conquistar a cualquier mujer.

Y, por mucho que le gustara, se sintió como si le hubieran arrojado un cubo de agua fría.

–Basta… –dijo.

Tessa lo miró a los ojos, negándose a sentir vergüenza por haber roto la magia. Grant le devolvió la mirada y preguntó:

–¿Te arrepientes de haberme besado?

Ella sacudió la cabeza.

–No, no me arrepiento, pero esto no puede ser.

Él frunció el ceño.

–Dime la verdad, Tessa. ¿Qué pasa? Es obvio que algo te ha asustado…

Tessa se alejó de él y se detuvo delante de las puertas de cristal que daban al exterior. Pero ya era de noche y, como las luces de la cocina estaban encendidas, solo pudo ver su propio reflejo.

–¿Qué ocurre? –insistió él–. Sabes perfectamente que no te obligaría a hacer nada que no desees. Solo quiero saber lo que ha pasado.

Tessa suspiró, se dio la vuelta y cruzó los brazos sobre el pecho.

–No podemos ser amantes, Grant. Tú y yo somos demasiado distintos… Hay demasiadas diferencias entre nosotros.

–¿De qué estás hablando? ¿Es por la edad? ¿Porque soy mayor que tú?

–No exactamente…

–¿Entonces?

Ella volvió a suspirar. Se sentía vulnerable.

–Está bien, seré sincera contigo –dijo–. No he estado nunca con ningún hombre.

Grant guardó silencio unos segundos, como si necesitara tiempo para asumir lo que Tessa le había confesado. Después, abrió la boca y preguntó:

–¿Me estás diciendo que eres virgen?

–Sí. –Tessa respiró hondo–. Y no voy a negar que te deseo, pero no quiero seguir adelante.

Él le acarició el labio inferior con el pulgar.

–Oh, Tessa… ¿Cómo es posible que una mujer como tú, tan hermosa y llena de pasión, no se haya acostado nunca con nadie? No permitas que el miedo te determine. La vida está para disfrutar de ella.

Tessa no supo qué decir. Si hubiera estado en su casa, le habría pedido a Grant que se marchara; pero estaban en la de él, de modo que pasó a su lado y alcanzó la chaqueta con intención de irse.

–No te vayas –le rogó.

–Es lo mejor, Grant. No estoy preparada para acostarme contigo –dijo, sin mirarlo a los ojos–. Y, si lo estuviera, te decepcionaría.

–Mírame, por favor.

Ella lo miró. Esperaba encontrar un destello de confusión o, tal vez, de desilusión. Pero solo vio deseo y ternura.

–En primer lugar, tú no me decepcionarías en ningún caso; y, en segundo, no me importa que seas virgen –declaró con firmeza–. Por tus palabras, sospecho que has conocido a hombres que se asustaron cuando se lo dijiste, pero yo no soy como ellos. Y, por supuesto, no te voy a presionar. Por mucho que me gustes, la pelota está en tu tejado… La decisión es tuya, y si decides que no te quieres acostar conmigo, lo respetaré.

Grant le dedicó una sonrisa y añadió:

–Sin embargo, no esperes que no intente besarte cada vez que pueda.

Ella también sonrió.

–Sinceramente, me gustaría que me besaras todo el tiempo. Pero no sé si llegaré a estar preparada para ti. No sé si puedo dar ese paso, sabiendo que lo nuestro solo sería aventura.

Grant le dio un beso fugaz.

–Eres una mujer muy fuerte, Tessa.

Ella rio.

–¿Fuerte? Te aseguro que no me siento fuerte. Te deseo tanto que quiero dejarme llevar, sin preocuparme por lo que pase después.

Él se encogió de hombros.

–Bueno, ya sabes dónde estoy. Pero debes saber que no me voy a rendir, Tessa. Quiero ser el primer hombre que haga el amor contigo.

Tessa tragó saliva. La declaración de Grant no contribuía precisamente a facilitarle las cosas. Sobre todo porque se había mostrado tan tierno y comprensivo que ahora lo deseaba más que nunca.

Antes de salir, se acordó de un consejo que le había dado su difunta madre. Le había dicho que, cuando se creyera enamorada, se preguntara si el hombre en cuestión respetaba su forma de ser y su forma de vivir. Y no había duda de que Grant las respetaba.

¿Sería posible que hubiera encontrado el amor verdadero?

Grant no sabía qué hacer. Era la primera vez que se encontraba en una situación como aquella, y estaba completamente perdido.

Se pasó una mano por la cara y miró los caballos que pastaban en la distancia. Tenía la sensación de que el destino se estaba riendo de él. Justo cuando intentaba sentar cabeza, aparecía una mujer que lo volvía loco. E, irónicamente, resultaba ser virgen.

Miró la hora y suspiró al ver que faltaban pocos minutos para su cita del día con Tessa Barrington. Estaba perdiendo el control. Se había encariñado con ella, pero era consciente de que ese cariño le podía salir muy caro. Si se llegaba a saber que había roto la cláusula del contrato, perdería su reputación, su empleo y la oportunidad de mejorar su posición en la industria del cine.

Mientras salía de la cabaña, le sonó el teléfono móvil. Cerró la puerta y contestó. Era Bronson.

–Hola… ¿Cómo te van las cosas?

–Bien –dijo su amigo–. Pero espero que estés sentado, porque tengo noticias para ti.

Grant se detuvo en seco.

–¿Noticias…? ¿Son buenas? ¿O malas?

–Muy buenas. Marty Russo se ha puesto en contacto con nosotros. Dice que, si esta película sale bien, apoyará tu empresa de producciones.

–¿Me estás tomando el pelo?

Bronson Dane soltó una carcajada.

–No, no te estoy tomando el pelo. Te he dicho la verdad.

Grant no lo podía creer. Había sido director de cine durante años y había trabajado como un esclavo para conseguir la oportunidad de abrirse camino en el mundo de la producción. Y justo ahora, antes incluso del estreno, el dueño de Russo Entertainment se mostraba dispuesto a ser su socio.

–Eso es magnífico… No sé qué decir…

–Te lo mereces, Grant. Marty te iba a llamar, pero he querido decírtelo yo. Supongo que se pondrá en contacto contigo en algún momento del día.

Grant estaba encantado con la idea de ser socio de Marty. Había trabajado con él varias veces, y sabía que no era un ejecutivo de los que se quedaban en el despacho, sino un profesional que participaba frecuentemente en los procesos de las películas, y siempre con buen criterio.

–Anthony y yo estamos terminando en Churchill Downs –continuó Bronson–. Entre las localizaciones de Nueva York, Maryland y Stony Ridge tenemos material de sobra para la película. Supongo que llegaremos al rancho a finales de la semana que viene.

Grant estuvo charlando unos minutos más con su amigo. Y, cuando cortó la comunicación, se sentía el hombre más feliz del mundo. La temperatura era agradable, el día era precioso y él tenía una oportunidad de oro a su alcance.

Pero la sonrisa se le congeló en la cara cuando vio a Tessa.

Estaba en uno de los cercados, a lomos de un caballo que se había desbocado y que amenazaba con tirarla. Grant se acordó de su hermana y sintió pánico; sobre todo, porque era evidente que Tessa había perdido el control de la situación.

De repente, el caballo se encabritó y Tessa salió despedida. Grant, que ya corría hacia ella, saltó la valla y no se detuvo hasta llegar a su lado.

–¿Estás bien? Dime algo, por favor… ¿Te encuentras bien?

Ella gimió e intentó incorporarse, pero él le puso una mano en el hombro y se lo impidió.

–No te muevas. Es mejor que sigas tumbada.

–¿Dónde está Macduff?

Grant la miró con asombro. Acababa de sufrir un accidente y solo estaba preocupada por la salud de su montura. Pero la conocía y sabía que no se quedaría tranquila hasta que lo supiera, de modo que se dio la vuelta y echó un vistazo. Cassie y el mozo de cuadra habían detenido al animal y lo estaban llevando a las caballerizas.

–Tu caballo se encuentra bien. Está con Cassie.

Tessa suspiró.

–Menos mal…

–Será mejor que pida una ambulancia. Tenemos que asegurarnos de que no te pasa nada.

Grant sacó el teléfono móvil, pero Tessa lo detuvo.

–Estoy bien –dijo, mirándolo a los ojos–. No llames a nadie.

–Por supuesto que voy a llamar.

Él estaba aterrorizado. Sabía algo de accidentes, y también sabía lo peligrosas que podían ser las hemorragias internas.

–¿Qué ocurre, Grant? Te has quedado blanco como la nieve.

Grant se pasó una mano por la cara y asintió.

–Nada… No me pasa nada –mintió–. Pero es importante que te vea un médico. Podrías tener una hemorragia interna…

–Grant…

–O llamo a una ambulancia o te llevo yo mismo al hospital –la interrumpió–. Elige.

Cassie apareció entonces y se arrodilló junto a ellos.

–¿Se encuentra bien?

–Tu hermana es una cabezota –dijo Grant, que se levantó–. Quédate con ella un momento. Voy a pedir una ambulancia.

Cuando volvió, Tessa estaba de pie. Se había incorporado con ayuda de Cassie, en quien se apoyaba.

–La ambulancia llegará dentro de un momento –les informó.

–Lamento tener que marcharme, Tessa, pero tengo que ir a avisar a papá y a decirle a Nash que te llevan al hospital –dijo Cassie.

–¿Quién es Nash? –preguntó Grant.

–El nuevo mozo de cuadra –respondió Tessa–. Márchate, Cass… Y no te preocupes por mí. Me encuentro bien.

–Eso espero…

Cassie se fue de inmediato. La ambulancia apareció al cabo de unos minutos, y Grant estuvo a punto de subir a ella y acompañar a Tessa. Pero, al final, se lo pensó mejor. Por mucho que quisiera estar a su lado, era preferible que los siguiera en su coche.

Así, cuando le dieran el alta, la podría llevar a Stony Ridge.

–Esto es una estupidez –protestó Tessa cuando volvieron al rancho de su padre–. Estoy perfectamente. Me puedo quedar en mi casa…

–Ya lo hemos hablado. Te llevo a la mía porque te he ofrecido la posibilidad de llevarte a tu casa y quedarme contigo, pero no te ha parecido bien –le recordó–. Además, es lo más conveniente. Tu padre y tu hermana estarán más cerca.

Tessa lo miró con exasperación.

–Por Dios, Grant… Mi propiedad está muy cerca.

Él sonrió.

–Lo sé, pero lo he hablado con tu padre y le ha parecido la mejor opción.

–Se lo habrá parecido porque no sabe que te quieres acostar con su hija…

Grant soltó una carcajada y bajó del coche para ayudarla a salir.

–Apóyate en mí –le dijo.

Tessa frunció el ceño; podía andar perfectamente, y estaba enfadada con lo sucedido. Macduff siempre había sido un caballo nervioso, pero eso no explicaba su caída. Todo iba bien hasta que vio a Grant hablando por teléfono y se quedó tan extasiada con su sonrisa que perdió la concentración.

–No es necesario, Grant. Te aseguro que no me voy a caer.

–Ya, pero el médico ha dicho que has sufrido una pequeña conmoción, y tú misma admites que estabas mareada.

–Está bien…

Grant la llevó al interior de la cabaña, donde la sentó en el sofá, le quitó las botas y le puso los pies en alto. Tessa lo miró y se preguntó por qué se había empeñado en que se quedara en su casa. ¿Tendría intención de acostarse con ella?

–¿Quieres comer algo? Supongo que tendrás hambre…

–Sí, pero de algo ligero. Tengo el estómago revuelto.

–Creo recordar que hay latas de sopa en los armarios de la cocina.

Ella apoyó la cabeza en el respaldo del sofá y asintió.

–Entonces, me contentaré con una sopa.

–¿Alguna preferencia al respecto?

–No –contestó–. No soy caprichosa en cuestión de sabores.

Tessa estaba tan agotada que no podía ni cerrar los ojos. Se dedicó a mirar a Grant mientras él trabajaba en la cocina, y le emocionó que se tomara tantas molestias por ella. Definitivamente, lo había juzgado mal. No se parecía nada a Aaron. No era el hombre superficial y egoísta que había pensado al principio.

Cuando volvió al salón, Tessa le dedicó una sonrisa.

–Eres muy bueno conmigo. Creo que me podría acostumbrar a tus atenciones.

Él se inclinó sobre la mesita y dejó la bandeja con la sopa.

–Y yo me podría acostumbrar a tenerte en el sofá, mirándome –replicó.

Tessa tomó unas cuantas cucharadas de sopa y frunció el ceño. En general, Grant era la viva imagen de la perfección. Siempre estaba elegante. Pero ahora tenía el pelo revuelto, y un aspecto bastante desaliñado.

–Lo siento, Grant.

–¿Por qué dices eso?

–Por todo esto… Por convertirme en una carga para ti. Por asustarte.

Él parpadeó, se acercó a ella y le acarició la mejilla.

–Tú no puedes ser una carga, Tessa. Si no te quisiera a mi lado, te habría llevado a la casa de tu padre, a la de Cassie o a la tuya. Te he traído a mi cabaña porque quiero cuidar de ti. Además, es evidente que hay algo entre nosotros, y me niego a comportarme como si no lo hubiera.

Grant se inclinó y le dio un beso en los labios.

–Pero será mejor que no me vuelvas a pegar un susto como el de hoy –prosiguió–. Porque, si lo repites, entraré en tu ordenador y borraré todos tus programas de actividades.

Tessa rio.

–No te atreverías…

–Puede que no, pero cuando te vi caer…

–¿Sí?

–No sé… Creo que no seré capaz de olvidarlo.

Grant apartó la mirada como si necesitara unos segundos para rehacerse. Y a Tessa le extrañó. Podía entender que se hubiera preocupado por ella, pero empezaba a pensar que su inseguridad tenía algo que ver con los caballos. Lo había notado varias veces, cuando salía a montar. La miraba como si le dieran miedo.

–Monto a caballo desde mi más tierna infancia, Grant. No es la primera vez que me caigo, y seguro que no será la última. Son cosas que pasan, nada más.

Grant suspiró.

–¿Por qué no terminas la sopa? Iré a buscar una camisa o una camiseta con la que puedas dormir, para que estés más cómoda.

–¿Tú no vas a cenar? –se interesó–. No has comido nada...

–Sinceramente, no podría comer aunque quisiera. Estoy demasiado tenso.

Grant se marchó y la dejó asombrada con el hecho de que su caída le hubiera afectado tanto. Cuando estaban en el hospital, había llegado al extremo de ponerse grosero con las enfermeras, porque le parecía mal que le dieran el alta tan pronto. Sin embargo, el médico lo había convencido de que podía volver a casa con la condición de que alguien cuidara de ella.

Y allí estaba ahora, sometida a la vigilancia de un hombre que la excitaba con la más leve de las caricias, que la besaba como si ella fuera la única mujer del mundo y que había conseguido que deseara perder la virginidad.

Aquella iba a ser una noche muy interesante.

Capítulo Seis

—¡Melanie!

Grant estaba muerto de miedo. Oía los cascos de los caballos y los gritos en mitad de la noche, pero no podía hacer otra cosa que mirar a su hermana con impotencia mientras sus padres la intentaban alcanzar desesperados.

Y todo, por su culpa. Por una simple y estúpida broma, por una apuesta entre hermanos.

El chillido de Melanie lo sacó de su parálisis. Espoleó su montura y cabalgó tan deprisa como le fue posible, consciente de que debía hacer algo, pero sin atreverse a pensar en lo que sucedería si ella se llegaba a caer.

Por desgracia, fue demasiado tarde. La yegua de Melanie se encabritó y la tiró.

Grant descabalgó rápidamente y se acercó a su bella y alegre hermana. Pero no se movía. Estaba completamente inmóvil.

Grant se despertó con la piel cubierta de sudor y la sábana arrugada alrededor de la cintura. Hacía mucho tiempo que no tenía aquella pesadilla, y habría dado cualquier cosa por no volver a tenerla. Era demasiado real. Demasiado dolorosa.

Se levantó y se pasó una mano por la cara. Necesitaba aire fresco y algo de beber. Pero supuso que

71

Tessa seguiría dormida, de modo que salió de la habitación sin hacer ruido y pasó de puntillas por delante del dormitorio de invitados, cuya puerta estaba abierta. Grant había insistido en que la dejara así por si tenía que llamarlo.

Al llegar a la cocina, abrió el frigorífico, sacó una botella de agua y echó un buen trago. Luego, abrió la puerta corredera que daba al exterior y respiró hondo. La brisa nocturna lo alivió un poco, aunque no impidió que las imágenes de la pesadilla lo siguieran torturando.

Para Grant, no había nada más terrible que contemplar la desgracia de un ser querido sin poder hacer nada al respecto. Le había pasado con su hermana y le había pasado con Tessa en una situación sorprendentemente parecida. Pero había una diferencia fundamental: que el accidente de Melanie había sido culpa suya.

A veces pensaba que hubiera sido mejor que falleciera a que se quedara parapléjica de por vida.

–¿Estás bien?

Él se dio la vuelta y miró a Tessa, que había aparecido de repente. Llevaba la camiseta que le había prestado la noche anterior, y le quedaba tan grande que le cubría la parte superior de los muslos.

–Sí, por supuesto… –respondió, apartando la mirada–. Siento haberte despertado. Estaba a punto de ir a tu habitación.

Tessa se acercó y se detuvo junto a él. Su dulce aroma a jazmín le pareció más peligroso que nunca, porque se sentía especialmente vulnerable y no tenía fuerzas para resistirse al deseo.

–¿Quieres que hablemos? –preguntó ella.

Él sacudió la cabeza, haciendo un esfuerzo por mantener el control.

–No, gracias. Deberías volver a la cama.

–No te preocupes por mí. Me siento como nueva... –Tessa le puso una mano en el brazo–. ¿Qué haces levantado a estas horas?

Grant tragó saliva.

–No podía dormir. Será por las emociones de ayer.

–¿Y también has gritado por eso?

–¿Gritar?

–Sí, te he oído hace un rato. Es obvio que tenías una pesadilla.

Grant se pasó una mano por el pelo.

–Sí, bueno... Tengo pesadillas con bastante frecuencia –le confesó–, pero no son para tanto.

Ella lo miró durante unos instantes y dijo:

–Si las tienes con frecuencia, deberías hablar con un profesional.

Él rio.

–¿Con un psicólogo? De ninguna manera.

Los ojos azules de Tessa se clavaron en el pecho desnudo de Grant, que sintió la mirada como si hubiera sido la caricia de una amante.

Grant se maldijo para sus adentros, deseando que volviera al dormitorio y se alejara de él.

–Acuéstate, Tessa. Tienes que descansar.

Ella le pasó la mano por el brazo.

–Prefiero quedarme contigo... Es evidente que no quieres hablar de tus pesadillas, pero al menos te haré compañía –dijo.

Grant perdió la paciencia. La agarró de los hombros y la empujó un par de metros, hasta dejarla contra la puerta corredera.

–Es mejor que te vayas –gruñó–. Deseo cosas que no debería desear, y no estoy en condiciones de controlar mis deseos. Vuelve a la cama.

Ella lo miró con intensidad.

—No me das miedo, Grant. Y quiero que sepas que puedes contar conmigo.

—Maldita sea, Tessa...

Grant no tuvo más opción que besarla. ¿Por qué no le había hecho caso? Se presentaba medio desnuda en mitad de la noche y lo tentaba una y otra vez, a pesar de sus advertencias.

Sin embargo, Tessa no estaba precisamente asustada con su reacción. Bien al contrario, había tomado la iniciativa y lo besaba con una necesidad tan incontrolable y desesperada como la suya, apretando su cuerpo contra el de él.

Al cabo de unos momentos, ella gimió y se arqueó. Grant le metió las manos por debajo de la camiseta y las bajó hasta el elástico de las braguitas, donde se detuvo por miedo a perder el control definitivamente y no poder parar. Pero Tessa lo provocó de nuevo. Echó las caderas hacia delante, en muda invitación, y lo forzó a aceptar el regalo que le ofrecía.

—Oh, Grant...

Él la empezó a acariciar entre las piernas. No tenía intención de tomarla, pero eso no significaba que no le pudiera dar placer.

—Sigue, Tessa. Déjate ir...

Aferrada a él, con la cabeza echada hacia atrás y la boca abierta, Tessa ya no parecía una chica inocente, sino una amante que sabía lo que quería y quería que se lo diera.

Grant le arrancó gemido tras gemido, sin dejar de tocarla, hasta que ella soltó un grito y le clavó las uñas en los hombros. Solo entonces detuvo sus caricias y dio un paso atrás. Tessa estaba temblando, aunque no supo si su temblor se debía al miedo o a la excitación.

–Vuelve a la cama, Tessa.

Ella intentó tocarlo, pero él retrocedió de nuevo, haciendo caso omiso de la angustia de sus ojos.

–Grant…

–Márchate, por favor. Márchate antes de que olvide tu inocencia y tome lo que deseo.

Tessa parpadeó, derramó una lágrima solitaria y regresó silenciosamente al dormitorio de invitados, dejándolo a solas con su desesperación.

Grant no quería herir sus sentimientos, pero no le había dejado muchas opciones. Tessa no estaba buscando una aventura amorosa; quería una relación estable para formar su propia familia y, aunque él deseara lo mismo, sus formas de vida no podían ser más diferentes.

Hacer el amor con ella habría sido un error. Un error del que, con toda seguridad, se habrían arrepentido más tarde.

Grant apretó los puños y se dijo que, a partir de ese momento, mantendría las distancias con Tessa Barrington. Por mucho que le gustara, no podía dejar Los Ángeles y renunciar a su carrera profesional. Sobre todo, para volver al mundo que había abandonado tras el accidente de su hermana gemela: el mundo de los caballos.

Pero, ¿cómo diablos lo iba a conseguir? La deseaba con locura. Y ahora, después de haberla visto en pleno orgasmo, la deseaba mucho más.

Ya había amanecido cuando Grant entró en la habitación de Tessa y descubrió que estaba vacía. Había hecho la cama y había dejado la camiseta sobre un viejo arcón, perfectamente doblada.

Alcanzó la prenda y aspiró su aroma.

No estaba seguro de haber hecho lo correcto. La había tenido entre sus brazos, tan decidida a acostarse con él como él con ella. Pero, ¿a que precio? La cláusula de su contrato no le importaba mucho, porque suponía que Tessa habría guardado el secreto. Además, había cruzado esa línea cuando metió la mano por debajo de sus braguitas y la empezó a masturbar.

No se trataba del contrato, sino de la propia Tessa. La conocía lo suficiente como para saber que se habría arrepentido. Y podía asumir su decepción, pero no su arrepentimiento.

Por suerte, aquel día no se iban a ver. Grant había quedado con Damon y Cassie, así que tenían una oportunidad perfecta para aclararse las ideas y encontrar el modo de solucionar el problema, que se estaba complicando mucho. Al menos, por su parte.

La deseaba, sí, pero sentía algo más que deseo. Y le preocupaba, porque no quería condenarse otra vez al dolor y la tristeza. Ni se podía permitir el lujo de volver a un estilo de vida del que había huido.

De hecho, esa era la razón por la que no visitaba nunca a Melanie; la razón por la que solo veía a sus padres cuando iban a Los Ángeles. Simplemente, no soportaba ni las emociones ni los recuerdos que despertaban en él.

Salió de la cabaña y entró en el edificio principal por la puerta trasera. Damon le había dicho que estaba en su casa y que no necesitaba llamar, así que no esperó invitación. Pero se sorprendió al ver a una mujer de mediana edad, de cabello corto y plateado, que acababa de preparar unos rollitos de canela.

–Buenos días, señor Carter.

–Buenos días –dijo, algo confundido–. Había quedado con Damon…

–Ah, llegará enseguida. –Ella alcanzó los rollitos y se los ofreció–. ¿Le apetece uno?

–Por supuesto. Huelen muy bien.

–Gracias. ¿Quiere un café?

–Sí, por favor. Lo tomo solo.

La mujer lo invitó a sentarse y le sirvió el café y un par de rollitos que él se empezó a comer, absolutamente encantado.

–Vaya, me alegra observar que alguien se toma el tiempo necesario para disfrutar de la comida… Damon alcanza lo primero que pilla y se va a toda prisa; Cassie está tan ocupada que nunca pasa por aquí; y a Tessa le preocupa tanto su peso que no toma dulces –le explicó–. Pero todavía no nos hemos presentado… Soy Linda, la cocinera.

–Encantado de conocerla.

–Lo mismo digo.

Grant echó un trago de café y dijo:

–Si no desayunan nunca en la casa, ¿por qué se molesta en prepararles el desayuno?

Ella sonrió.

–Por la posibilidad de que uno de estos días recapaciten y se sienten a desayunar civilizadamente en el salón. Francamente, creo que trabajan demasiado.

–Pues tengo buenas noticias para usted. La semana que viene llegará el equipo de rodaje. Y sé que tienen muy buen apetito.

Linda soltó una carcajada.

–En ese caso, iré al supermercado y empezaré a pensar en los menús.

Grant se recostó en la silla, sin prisa alguna. Tenía la sensación de que aquella mujer sabía cosas de aquella familia que la mayoría de la gente desconocía.

–¿Cuánto tiempo lleva aquí?

Linda se apoyó en la encimera.

—Este verano se cumplirán quince años.

—Entonces, supongo que conocería a la difunta señora Barrington...

Linda asintió.

—En efecto. Era una mujer preciosa. Sus chicas se parecen mucho a ella... Tenía el pelo rojo y unos ojos azules verdaderamente bonitos. Las Barrington siempre han sido guapas.

—Y se llevan bien —observó—. No mantienen la menor rivalidad, de hecho, Cassie parece contenta de permanecer en la sombra y concentrarse en su trabajo.

—Bueno, Cassie siempre ha sido una chica tímida, de las que están dispuestas a sacrificarse por otras personas incluso a costa de su propia felicidad. —Linda se detuvo un momento—. Supongo que por eso terminó con ese cerdo, con el padre de Emily... Pero disculpe mi lenguaje, por favor.

Grant sonrió.

—Tengo la impresión de que ese tipo no es muy querido por aquí.

—Una impresión acertada. Desde mi punto de vista, hay que ser muy cobarde para abandonar a tu mujer cuando acaba de dar a luz a tu propio hijo.

—No podría estar más de acuerdo —declaró Grant—. Pero, ¿qué me dice de Tessa? Ella no es precisamente tímida...

Linda volvió a sonreír.

—Ah, la dulce Tessa... Siempre quiere ser la mejor en todo lo que hace, y siempre se esfuerza al máximo. Es como si compitiera con ella misma. Sobre todo desde que su madre falleció... Casi no sale de los establos. Ni siquiera de noche.

—He oído que su exnovio tampoco es muy popular en Stony Ridge.

–¿Cómo lo va a ser? Ese individuo solo estaba con ella por dos razones: su apellido y su dinero –afirmó–. Y luego...

Ella dejó la frase sin terminar.

–¿Luego? –preguntó él.

Linda sacudió la cabeza.

–Será mejor que guarde silencio. Si quiere saberlo, hable con Tessa.

–¿Estaba enamorada de él?

–Veo que ese tema le interesa mucho...

–Porque es relevante para la película.

Linda volvió a reír.

–No dudo que lo sea, pero también le importa por motivos personales.

–No estoy aquí por motivos personales.

Justo entonces, apareció el padre de Tessa.

–Buenos días, Damon.

–Siento llegar tarde –se disculpó.

–Oh, no lo sientas... Linda me ha ofrecido un café, un par de rollitos y el inmenso placer de su compañía –dijo.

Damon sonrió y se llevó un rollito a la boca.

–Son su especialidad. Es un as de la cocina.

–Seré un as, pero nadie se queda lo suficiente como para disfrutar de mi talento –protestó.

Damon rio y miró a Grant.

–¿Nos vamos? Tenemos que estar en el campo de golf a las diez.

–¿Es que vamos a jugar al golf?

–Yo voy a jugar al golf –puntualizó–. Tú puedes hacer de *caddie* si quieres.

Grant rompió a reír.

–Sí, será lo mejor. No soy precisamente bueno en ese deporte –le confesó–. Pero tendré que volver a la cabaña para cambiarme de ropa...

–No te preocupes. Te espero aquí.

Grant se dirigió a la cabaña, y se abstuvo de mirar hacia los establos porque tenía miedo de ver a Tessa. Estaba seguro de que seguiría deprimida por lo de la noche anterior. Pero, al pasar por delante, oyó carcajadas de mujer.

Eran Tessa y su hermana. Y parecía que se estaban divirtiendo mucho.

Grant se maldijo por haberse preocupado mientras ella seguía tranquilamente con su vida, como si no hubiera pasado nada. Así que decidió hacer lo mismo y no permitir que Tessa Barrington ocupara ni uno solo de sus pensamientos.

Capítulo Siete

Tessa oyó el móvil, pero hizo caso omiso y sacó a Don Pedro de las caballerizas. No tenía intención de responder a Aaron. ¿Por qué le enviaba tantos mensajes? Incluso le había dejado un mensaje en el buzón de voz.

Además, faltaban pocos días para su primera carrera, el derbi de Arkansas. Y no se iba desconcentrar por culpa de un hombre como su antiguo novio. Pero había otro hombre que la desconcentraba todo el tiempo: Grant Carter.

No se lo podía quitar de la cabeza. Lo había intentado toda la mañana y había fracasado miserablemente. Aún sentía sus labios, el contacto de sus manos, la forma en que la había forzado a dejarse llevar y alcanzar el clímax.

¿Qué podía hacer? Una parte de ella quería más; sobre todo porque sospechaba que las caricias de la noche anterior solo habían sido una tímida muestra. Pero otra parte se avergonzaba de lo que había hecho; de haberse aferrado a él con uñas y dientes.

–¿Te encuentras bien? –preguntó Cassie, que acababa de llegar a los establos–. Pareces distraída.

Tessa decidió mentir. No se sentía capaz de explicarle lo que había sentido con Grant. Ni lo que evidentemente se había perdido cuando él echó el freno y la mandó a la cama después de darle un orgasmo, como un adulto que se quisiera librar de una niña.

–Aaron me ha estado escribiendo.

–¿Aaron? ¿Qué quiere?

Tessa se encogió de hombros.

–No tengo ni idea. Dice que quiere hablar conmigo, pero no he contestado.

–Menudo cretino… En fin, será mejor que me vaya. Esta tarde he quedado con Grant.

Tessa se puso tensa.

–¿Para qué?

–Quiere entrevistarme y que le dé mi opinión sobre la película. Tengo entendido que esta mañana se va a reunir con papá.

Tessa frunció el ceño, y Cassie sonrió con picardía.

–Ah, vaya… Así que le has echado el ojo a nuestro querido productor…

Su hermana rio.

–Yo diría que es él quien me ha echado el ojo a mí.

Cassie se frotó las manos.

–Lo sabía. No me puedes ocultar nada, hermanita. Te conozco demasiado bien.

Tessa llevó a Don Pedro al cercado.

–De todas formas, no hay mucho que contar. Grant me ha dicho que le gusto, pero no tengo tiempo para esas cosas. Además, somos tan distintos que… En fin, olvídalo. Tengo tantas razones para alejarme de él que, si intentara enumeraras, no terminaría nunca.

–Entonces, dime la más importante.

–Que es un hombre de la gran ciudad. No sabría vivir en el campo.

–Oh, vamos… un tipo como Grant sabría vivir en cualquier sitio –replicó Cassie–. Seguro que hay un motivo más importante.

–La edad. Me saca diez años.

Cassie suspiró.

–¿Te refieres a que tiene más experiencia que tú?

–Sí, bueno… Es que.. No sé. Grant juega en una liga superior.

Su hermana arqueó una ceja.

–Nadie juega en una liga superior a la de nadie. Y, si tú le gustas, ¿por qué no le concedes una oportunidad? Las razones que me has dado no tienen ni pies ni cabeza –afirmó–. Salvo que Grant no te guste, claro…

–Me gusta. De hecho, me gusta mucho. Y cada vez que nos besamos…

–Espera un momento… ¿Cada vez que os besáis? ¿Es que os habéis besado muchas veces? –preguntó–. ¿Por qué no me lo habías dicho?

–Porque me asusta –respondió con sinceridad–. Me gusta demasiado, y tengo miedo de dejarme llevar.

Cassie sonrió.

–Pues será el primer hombre del que tengas miedo… –dijo con humor.

Tessa le devolvió la sonrisa.

–De todas formas, necesito tiempo para pensarlo. Y no puedo pensarlo y prepararme para las carreras al mismo tiempo –alegó–. En fin, será mejor que me ponga a trabajar.

–Muy bien. Pero no creas que esta conversación ha terminado –le advirtió Cassie.

Tessa rio.

–Sabía que dirías eso.

El encuentro con Damon fue de lo más satisfactorio. Grant ya había hablado varias veces con él, pero aquella mañana le sacó mucha información y, de paso, analizaron el guion de la película con detenimiento.

Cuando se despidieron, se dirigió a la cabaña de Cassie para hablar con la más tímida de las hermanas Barrington. Le interesaba lo que pudiera decir en calidad de hija de Damon; pero estaba especialmente interesado en su faceta como adiestradora de caballos del gran hombre.

La cabaña de Cassie resultó ser muy parecida a la suya, aunque la suya no estaba llena de juguetes y sillitas para bebé. Ella lo invitó a entrar con una sonrisa y lo llevó al sofá del salón.

—Emily se está echando la siesta, así que podremos charlar sin interrupciones —declaró—. ¿Te apetece beber algo?

—No, gracias.

Cassie se sentó al otro lado del sofá. Después, apoyó los pies en la mesita y dijo:

—Estoy entusiasmada con vuestra película, ¿sabes?

Él asintió.

—Sí, yo también lo estoy. Pero me temo que el rancho va a cambiar mucho cuando llegue el equipo de rodaje. No tendréis paz hasta dentro de varios meses.

Cassie se encogió de hombros.

—Bueno, esta época del año es bastante complicada para nosotros. Como sabes, estaremos yendo y viniendo de carrera en carrera. Habrá días en los que ni siquiera nos veamos…

—En cualquier caso, te prometo que haremos lo posible para no interferir en tu trabajo ni en el trabajo de tu hermana.

—Y yo te lo agradezco…

De repente, Cassie pasó un brazo por el respaldo del sillón y clavó en él sus ojos azules.

–¿Quieres que hablemos de Tessa ahora mismo? ¿O prefieres que deje el asunto para después de la entrevista?

A Grant se le escapó una carcajada.

–¿Qué quieres saber? –contestó–. Sospecho que Tessa te lo habrá contado todo…

–Para empezar, quiero saber si vas en serio con ella.

–Cassie, no le tomes a mal, pero eso es asunto nuestro.

–Por supuesto que lo es, y no seré yo quien se meta en los asuntos de nadie –dijo–. Pero quiero que sepas con quién estás saliendo.

–¿A qué te refieres?

Cassie suspiró.

–Tessa nunca ha tenido tiempo para nada que no sea trabajar. Empezando por las relaciones amorosas –respondió–. Ha salido con varios tipos, claro, pero no suelen entender que su carrera ocupa un espacio muy importante de su vida.

Grant la dejó hablar.

–Además, acaba de salir de una relación relativamente seria que no terminó bien. No quiero entrar en detalles, pero la engañó… Y ahora no confía en ningún hombre. Sobre todo, en ningún hombre de una gran ciudad. Te lo digo por si te interesa.

Grant asintió y dijo:

–Cassie, hay una cláusula de mi contrato que me impide mantener relaciones con personas que participen de algún modo en la película. Tessa entra técnicamente en esa categoría, así que te ruego que mantengas este asunto en secreto…

–Yo no se lo voy a decir a nadie, Grant. Sin embargo, mi hermana no puede estar sometida a lo que a ti te resulte conveniente, secretos incluidos.

Grant estaba de acuerdo con Cassie, pero le molestó su forma de plantearlo. Lo había dicho como si se quisiera aprovechar de ella.

–¿Me estás amenazando?

–Ni mucho menos. A decir verdad, creo que Tessa necesita divertirse un poco –contestó–. Solo quiero que seas consciente de su fragilidad. Parece una mujer muy dura, pero no lo es.

–Descuida, soy consciente de ello –afirmó–. Y no me voy a rendir con tu hermana.

Cassie sonrió de oreja a oreja.

–Excelente. Y ahora, ¿qué te parece si hablamos de mi padre?

–Venga, acaba con ellos…

Tessa miró a su padre, que le dio una palmadita en la pierna. El derbi de Arkansas estaba a punto de empezar, y ella estaba encantada con la adrenalina y la tensión del momento. Siempre le había gustado su trabajo.

–Será pan comido para ti –intervino Cassie–. ¿Estás preparada?

Tessa asintió.

–Por supuesto que sí.

Cassie tiró de las riendas de Don Pedro, con Damon a su lado. Tessa sabía que Grant estaba en el hipódromo, pero le preocupaba que hubiera mantenido las distancias con ella durante los días anteriores. Quizás había decidido que su relación no merecía la pena.

Fuera como fuera, el cielo estaba despejado, la gente abarrotaba las gradas y, de momento, no tenía más objetivo inmediato que ganar la carrera. Como siempre, llevaba la camiseta que había diseñado su difunta madre: una prenda de color azul claro, con una franja blanca en diagonal y una estrella verde. Hasta los colores de las carreras le gustaban. Eran tan bonitos como brillantes.

Cuando llegaron a la salida, Damon y Cassie se marcharon y Tessa respiró hondo. Todo el trabajo de los últimos meses se iba a dirimir en unos cuantos minutos.

Se inclinó, dio una palmadita al purasangre y dijo:

–Vamos a ganar. ¿Verdad, amigo?

Momentos después, se dio la señal para que los jinetes ocuparan sus posiciones. Tessa tragó saliva y agarró las riendas con fuerza. Estaba preparada para convertirse en la nueva campeona de la familia Barrington.

Grant gritó de alegría cuando vio que Tessa se había clasificado para la siguiente carrera. Aunque no se había contentado con clasificarse: había llegado en primer lugar.

Aquella mujer era sencillamente increíble. No recordaba haber estado tan nervioso en toda su vida, y ahora no deseaba otra cosa que bajar a la pista y felicitarla por su éxito. Pero tenía miedo de perder el control y besarla en público. Si los veían, podía perder su trabajo.

Cuando entró en los establos, descubrió que Tessa estaba rodeada de periodistas y familiares. Grant sacó una libreta y tomó unas cuantas notas. Llevaba todo el día tomando notas sobre distintos aspectos de las carreras de caballos, desde la camaradería de los jinetes hasta el júbilo de los espectadores.

Momentos después, Tessa se quitó el casco, se

secó el sudor y sonrió a las cámaras. Estaba magnífica. Su cara y sus ojos, que irradiaban belleza, no dejaban duda alguna sobre su amor por la hípica; eran mucho más explícitos que cualquier discurso que pudiera pronunciar.

Grant decidió apartarse y dejar las felicitaciones para más tarde, cuando estuvieran a solas. Segundos después, le sonó el teléfono móvil.

Era su padre.

—Hola, papá.

—Hola, hijo. Hace semanas que no sé nada de ti. ¿Qué tal estás?

—Bastante bien —dijo, mientras se alejaba de la multitud—. Ahora estoy en una carrera.

—Vaya, siento haberte interrumpido…

—Descuida. Si no pudiera hablar, no te habría contestado —afirmó—. ¿Va todo bien?

—Eso depende. Tu madre está preocupada por ti, Grant.

Grant suspiró.

—Mira, papá…

—Escúchame un momento —lo interrumpió—. Sé lo que vas a decir: que estás bien y que no nos preocupemos por nada. Y como yo quiero que tu madre esté tranquila, le diré exactamente eso. Pero sé sincero conmigo, por favor.

—Soy sincero. El rodaje no ha empezado todavía, así que todo está siendo bastante fácil.

—Grant, los dos sabemos que este rodaje no es como otros. Estás en un rancho, rodando una película sobre caballos —le recordó.

—Sí, bueno… Admito que me está costando un poco, pero no es nada que no pueda soportar.

—¿Seguro? —preguntó con desconfianza.

—No te preocupes por mí. Cuando hables con

mamá y le digas que me encuentro bien, le estarás diciendo la verdad.

–No sabes cuánto me alegro… Pero dime, ¿cuándo te vamos a ver?

Grant sonrió.

–No lo sé. Tengo bastante trabajo, aunque creo que me podría tomar unas vacaciones dentro de un par de meses.

–En ese caso, ¿por qué no vienes a casa cuando termines con la película? A tu madre y a mí nos gustaría mucho. Y Melanie tiene ganas de verte.

Grant se sintió terriblemente culpable. Sabía que su hermana lo echaba de menos, pero la había evitado durante años porque no se sentía capaz de mirarla a los ojos. A fin de cuentas, le había destrozado la vida. Había asesinado sus sueños, su futuro, todo.

–No creo que sea una buena idea, papá.

–¿Y qué vas a hacer? ¿Retrasar el momento eternamente? Las cosas son como son. No van a cambiar porque no las mires.

Grant sacudió la cabeza.

–Te propongo una cosa. Cuando termine el rodaje, os pagaré un billete de avión a mamá y a ti para que vengáis a verme.

–Siempre somos nosotros los que vamos a verte. Y estamos encantados, por supuesto, pero es importante que vuelvas a casa –afirmó–. Han pasado muchos años desde el accidente de Melanie. El tiempo lo cura todo, Grant.

Grant pensó que, en su caso, el tiempo no había curado nada. Estaba convencido de que si volvía a la casa de sus padres y veía a Melanie, se quedaría atrapado en la pesadilla recurrente que sufría casi todas las noches. Además, su estancia en Stony Ridge no había tenido el efecto terapéutico que imaginó al principio. Creía que, al estar entre caballos, se acostumbraría otra vez a ellos y vencería a sus demonios personales. Pero sus demonios estaban ganando la batalla.

–Tengo que irme, papá. Te llamaré dentro de unos días. Dile a mamá que la quiero y que espero que vengáis a verme a Los Ángeles cuando termine el rodaje.

Grant se despidió y cortó la comunicación para que su padre no pudiera insistir. Sabía que se habría llevado una decepción, pero no podía volver a la casa que había abandonado meses después del accidente de Melanie. Necesitaba estar lejos del pasado; tan lejos como fuera posible.

Aquella noche, cuando todo el mundo estaba de fiesta o se había acostado, Grant avanzó por el pasillo del hotel y llamó a la puerta de Tessa. No la había visto desde que se fue de su cabaña, y extrañaba sus conversaciones.

Tessa se quedó asombrada cuando lo vio.

–Grant… ¿Qué estás haciendo aquí?

Él admiró su cuerpo y su cabello, que estaba húmedo como si se acabara de duchar. Llevaba unas mallas y una camiseta de manga larga que se ajustaban maravillosamente a su figura.

–¿Puedo pasar?

Ella se apartó de la puerta sin decir nada. Él entró y la rozó a propósito, quizá para torturarse a sí mismo. Tessa lo recompensó con un suspiro.

–Hoy has estado magnífica…

Tessa cerró la puerta y sonrió.

–Gracias. Aunque solo es el principio de la temporada. Adoro mi trabajo.

Grant echó un vistazo a la habitación y se fijó especialmente en el enorme tamaño de la cama.

–No quise interrumpirte después de la carrera. Me pareció que ya tenías bastante con la prensa y con tus seguidores –afirmó–. Pero tenía que felicitarte…

Ella sonrió de oreja a oreja.

–Gracias, Grant –repitió–. Tu apoyo significa mucho para mí.

Tessa abrió una puerta lateral y lo llevó a una salita pequeña que hacía las veces de salón. Luego, se sentó en el sofá y lo invitó a acomodarse al otro lado.

Grant aceptó la invitación.

–Bueno… supongo que mañana volveremos a Stony Ridge.

–Sí, claro. Tengo que seguir con mi entrenamiento –dijo ella–. ¿Qué tal te ha ido hoy? ¿Has conseguido más información para tu película?

–Toda la que necesitaba y mucho más. De hecho, he hablado con Bronson y Anthony y están entusiasmados con la idea de rodar en el rancho. Llegarán la semana que viene.

Tessa lo miró y frunció el ceño.

–Pues tú no pareces muy entusiasmado… ¿Qué te pasa? Ya sé que querías felicitarme, pero sospecho que hay algo más.

A Grant le sorprendió que fuera tan perceptiva. Se conocían muy poco y, sin embargo, interpretaba el lenguaje de su cuerpo como si llevaran toda la vida juntos.

–No me pasa nada –mintió–. Es que ha sido un día muy largo… Y, hablando de días largos, espero no haber venido en mal momento. Es posible que estuvieras a punto de acostarte.

—No te preocupes por eso. Aunque, sinceramente, tu visita me extraña un poco.

—¿Por qué?

—Porque hace días que me rehuyes. Has hablado con todos menos conmigo.

—He estado muy ocupado... Además, te fuiste de mi cabaña sin despedirte, y supuse que mi presencia te incomodaría.

Ella se encogió de hombros.

—Me fui porque estabas enfadado conmigo. Pero me ha dado la impresión de que te estabas escondiendo de mí.

—Yo no me escondo de nadie —se defendió.

Tessa lo miró fijamente.

—¿Ah, no? Me has estado persiguiendo desde que llegaste a Stony Ridge. Y, de repente, te desvaneces en el aire... Discúlpame, pero es demasiado obvio.

Grant apretó los dientes.

—Como decía, he estado muy ocupado.

—Y yo —replicó—. Pero supongo que estás aquí porque quieres hablar...

El frunció el ceño.

—¿A qué te refieres?

—A esas pesadillas que mencionaste de pasada. Y al hecho de que, si no me hubieras detenido la otra noche, me habría entregado a ti —respondió—. ¿Por dónde prefieres empezar?

Grant se levantó, nervioso.

—Está bien, si te empeñas... Empecemos por lo segundo —dijo—. No entiendo que quisieras perder tu virginidad conmigo. Somos demasiado diferentes, Tessa.

Ella ladeó la cabeza y sonrió.

—Sí, eso es innegable. Y puede que hicieras bien al detenerme.

–Por supuesto que hice bien.

Tessa se puso de pie, cruzó los brazos y soltó un suspiró antes de hablar.

–Sé que somos diferentes, y se me ocurren muchas razones para no acostarme contigo. Pero hay una parte de mí que quiere dejarse llevar. Una parte que arde en deseos de ser tuya.

Grant se quedó en silencio, atónito.

–Cuando estamos juntos, siento cosas que no había sentido nunca –continuó Tessa–. Es posible que a ti no te pase, pero me gustas tanto que tengo que hacer verdaderos esfuerzos por mantener el control. Casi no me puedo resistir.

–¿Y por qué te resistes?

–Porque…

Ella dejó la frase sin terminar.

–¿Por qué, Tessa?

–Porque tengo miedo de decepcionarte. Incluso tengo miedo de decepcionarme a mí misma –le confesó–. Es una situación muy difícil para mí…

Grant se acercó y le pasó los brazos alrededor de la cintura. Después, inclinó un poco la cabeza y dijo en voz baja:

–Te garantizo que, cuando hagamos el amor, no habrá decepción alguna.

Ella lo miró con intensidad.

–¿Cuando hagamos el amor? ¿Eso significa que lo vamos a hacer?

–Sí, pero no aquí ni ahora. Quiero que tiembles de deseo. Quiero que pienses en mí hasta cuando salgas a montar… Quiero que tus fantasías eróticas ocupen toda tu mente.

–¿Por qué? –preguntó en un susurro.

Él le mordió dulcemente el labio.

–Porque te refrenas tanto y estás tan acostumbrada a negarte el placer que estoy deseando que te dejes llevar. Sobre todo, por mí.

Grant le dio un beso apasionado, pero también breve. Si quería derribar los muros de Tessa, debía mantener el control.

–Cierra con llave cuando salga –dijo–. Te veré en Stony Ridge.

Una vez más, Grant se marchó y la dejó temblando de deseo. Pero tenía un buen motivo para marcharse así: ya no buscaba sexo, sino amor.

Y estaba terriblemente asustado.

Capítulo Ocho

Todo iba bien en Stony Ridge. Ya habían instalado los remolques para los actores, los productores y los distintos directores de la película, que iban a llegar en pocos días. El rodaje estaba a punto de empezar, y Tessa se alegraba por una razón que no tenía nada que ver con el proceso cinematográfico.

Con un poco de suerte, Grant estaría tan ocupado que dejaría de perseguirla y de tentarla para marcharse a continuación.

La deseaba, pero se negaba a sí mismo el deseo. ¿Creería que se estaba comportando de forma galante y caballerosa? Desde su punto de vista, solo estaba jugando con ella. Y tomó la decisión de poner fin a ese juego en cuanto terminara su jornada de trabajo.

Había llegado al límite de su paciencia. Quería hacer el amor con él, y no iba a permitir que ni él ni nadie le dijeran lo que debía que hacer con su cuerpo o con su vida.

Pero, de momento, tenía que trabajar; así que se inclinó sobre Don Pedro, le dio una palmadita cariñosa y lo puso al trote. Aquel día se lo iba a tomar con calma. Sobre todo, porque Cassie estaba en el médico con su hija, a quien iban a vacunar.

–¿Te importa que te acompañe?

Tessa se giró y vio que su padre acababa de salir de los establos a lomos de Macduff.

–En absoluto. Pero, ¿no crees que deberías montar un caballo más tranquilo?

Damon se encogió de hombros.

–No te preocupes por mí. Soy más grande que tú, y no me tirará tan fácilmente. Además, Cassie ha estado trabajando con él.

Ella asintió.

–Entonces, vámonos.

Tessa estaba encantada de que su padre la acompañara. Tenían muchas obligaciones y muy pocas oportunidades de salir juntos.

Segundos después, Damon se desvió hacia la parte trasera de la propiedad. Tessa se puso a su altura, consciente del lugar al que se dirigía. El cielo estaba completamente despejado, pero había visto la previsión meteorológica y sabía que se esperaban tormentas por la tarde.

–Dentro de poco, este lugar estará lleno de actores y periodistas –dijo su padre.

–Espero que tengan un servicio de seguridad y que pueda contener a los curiosos. Odio que invadan mi espacio.

Damon soltó una carcajada.

–Quién sabe, puede que te sorprendas a ti misma y descubras que te gustan los rodajes. Pero si no es así, siempre te puedes esconder en tu casa. Allí no va nadie.

–Los periodistas son capaces de meterse en cualquier sitio –comentó.

Damon volvió a reír.

–Está bien… Me encargaré de que vigilen tu casa.

Tessa sonrió, aunque su atención estaba en otra parte: en el hombre que, en ese momento, estaba charlando con los trabajadores que habían instalado

96

los remolques del equipo de rodaje. Grant llevaba unos vaqueros desgastados, una camiseta negra y unas gafas oscuras de sol. A simple vista parecía un ranchero; pero seguía siendo el mismo seductor de gran ciudad.

–Tu productor se toma su trabajo con mucha seriedad… –dijo Damon cuando ya estaban cerca de la laguna.

–No es mi productor –protestó.

Damon detuvo a Macduff y la miró.

–Cariño, sé que soy un viejo y que, además, soy tu padre, pero hasta yo me he dado cuenta de cómo lo miras. Y de cómo te mira él a ti.

Tessa gimió. No quería hablar de eso con él. Quizás habría sido más fácil con su madre.

–Sé que la echas de menos –declaró Damon, adivinando sus pensamientos–. Y también sé que yo no la puedo sustituir… Pero si necesitas un consejo, estaré encantado de dártelo.

Tessa rio.

–No voy a hablar de relaciones amorosas contigo.

Las carcajadas de Damon rompieron el silencio.

–Por Dios, Tessa… No te estoy pidiendo que entres en detalles. Tu vida sexual es asunto tuyo. Solo me intereso por tu corazón.

Tessa lo miró de nuevo y asintió lentamente.

–Está bien, papá. ¿Qué me quieres decir?

–Que la vida es riesgo, hija mía. Cuando quieres algo, te tienes que arriesgar. Si te quedas al margen, te arrepentirás de no haber actuado.

Ella tragó saliva, pero no dijo nada.

–Ya deberías saberlo –continuó él–. Al fin y al cabo, te arriesgas cada vez que compites. Te arriesgas a sufrir un accidente, a que lo sufra otra persona o que lo sufra tu montura.

–Nunca pienso en esas cosas…

Él sonrió con calidez.

–No lo piensas porque has aprendido a arriesgarte y a confiar en tu habilidad y tu instinto. Te limitas a dejar que tu corazón te guíe y te lleve hasta la meta.

–Sí, supongo que sí.

–Pues el amor es igual.

–¿El amor? Esto no tiene nada que ver con el amor –dijo a la defensiva–. Es que Grant… No sé… Me confunde.

–Ya me lo imagino. Tu madre también me confundía a mí –declaró con una risita–. Le pedí que saliera conmigo cuando ella tenía dieciséis años, y no me lo concedió hasta los dieciocho. Creo que estaba asustada por mi edad, porque yo era mayor. Te parecerá absurdo, pero le preocupaba mi experiencia. Pensaba que no estaría a mi altura.

Tessa guardó silencio una vez más.

–¿Qué te preocupa a ti? –preguntó su padre.

Ella se encogió de hombros.

–Que somos muy distintos. Es un hombre de la gran ciudad.

–¿Y qué?

–Me extraña que me preguntes eso, papá. Sabes que odio la ciudad. Es uno de los motivos que me llevaron a romper con Aaron.

Su padre se puso muy serio.

–Ese individuo no merece ni que pronuncies su nombre. Además, Grant no se parece nada a él. ¿Te ha engañado? ¿Te ha manipulado? ¿Ha intentado apartarte de tu trabajo?

Tessa sacudió la cabeza y suspiró.

–No.

–Hija, eres una mujer adulta y perfectamente capaz de tomar tus propias decisiones. Pero, por favor, no permitas que la imagen idílica del mundo que te has construido impida que te arriesgues en el amor… y que disfrutes de sus ventajas.

Tessa cerró los ojos durante unos momentos y se preguntó hasta dónde debía arriesgarse. ¿Hasta el punto de hablar con él y confesarle que lo quería? ¿Hasta el punto de presentarse esa misma noche en su cabaña y seducirlo?

La segunda opción le pareció tan descabellada que casi le arrancó una sonrisa. No sabía nada del arte de la seducción. No sabía ni por dónde empezar.

Pero había algo que sabía de sobra: que estaba cansada de esperar y de jugar a su juego.

Grant estaba absolutamente agotado. Había surgido un problema con la cantidad de remolques, porque faltaba uno; pero, después de hacer unas cuantas llamadas, lo había conseguido solventar.

Llamó a sus coproductores y les informó de que podían viajar a Stony Ridge cuando les pareciera más oportuno. Daba por sentado que querrían llegar antes que los protagonistas de la película, Max Ford y Lily Beaumont, las dos estrellas que iban a catapultar su carrera en la industria del cine. Grant ya se veía con su propia empresa de producción. De hecho, Marty le había escrito para reiterarle su interés, y él estaba como un niño con zapatos nuevos.

Se acababa de cambiar de ropa cuando alguien llamó al timbre. Grant cruzó los dedos y abrió la puerta, temeroso de que hubiera surgido otro problema con los remolques; pero se encontró delante de Tessa Barrington.

La mujer de sus sueños llevaba el pelo suelto,

unos vaqueros ajustados que hacían maravillas con su figura y una camisa de manga larga.

A Grant le pareció más relajada que nunca, y le faltó poco para soltar un silbido de admiración ante aquella melena roja que el viento acariciaba. Era una tentación demasiado grande; tan grande, que salió al porche y cerró la puerta para impedir que Tessa entrara en la casa y se quedara a solas con él.

–¿Llego en mal momento? –preguntó ella.

Grant apretó los puños.

–No, qué va…

Ella apartó la mirada, como si se sintiera insegura por algún motivo.

–¿Te encuentras bien? –continuó Grant.

Ella suspiró y sacudió la cabeza.

–A decir verdad, no. Ya no soporto la tensión que hay entre nosotros.

Grant se maldijo para sus adentros. Sospechaba que estaba a punto de ponerse agresiva, y no estaba seguro de poderla rechazar si intentaba seducirlo. Así que la tomó de la mano y la alejó del porche.

–¿Adónde vamos? –preguntó Tessa.

Él siguió andando hacia la parte trasera de la propiedad, distanciándola de su cabaña y, sobre todo, de la cama más cercana. Aunque la deseaba tanto que habría sido capaz de hacerle el amor allí mismo, sobre la hierba.

–A dar un paseo –contestó–. Ha sido un día duro, y no me apetece hacer nada relevante. No quiero hablar del trabajo ni de nuestra relación. Solo quiero pasear contigo.

Tessa gimió.

–Pero va a llover… Y necesito que hablemos sobre lo nuestro. Necesito saber a qué atenerme.

Grant no se detuvo. Era consciente de que su silencio la estaba volviendo loca, pero no sabía qué decir. ¿Cómo expresar sus sentimientos cuando ni él mismo los entendía? Las cosas ya no eran tan fáciles como antes. Ya no buscaba algo tan leve como acostarse con ella. Quería más, mucho más.

En la distancia, se oyó el croar de las ranas de la laguna. Grant se dijo que Stony Ridge era un buen lugar para sentar cabeza, pero desestimó el pensamiento porque, en el fondo, seguía pensando que no se debía encariñar con ese sitio. Con esa mujer.

—Si has decidido que no merezco tu tiempo, lo entenderé —declaró ella.

Grant sonrió. Definitivamente, Tessa era incapaz de relajarse y de hacer algo tan sencillo como pasear en silencio.

—Sé que somos muy diferentes —prosiguió—. Tú eres un hombre con experiencia, y comprendería que no te sintieras interesado por una mujer como yo… Pero no entiendo que me beses, que me digas que me deseas y que, sin embargo, te niegues a hacer nada al respecto.

Grant se detuvo y la miró a los ojos. Habían empezado a caer las primeras gotas de lluvia.

—No hago nada al respecto porque lo mío es lujuria en estado puro. Y eso no es lo que tú necesitas. Tú necesitas un amante cariñoso, que te trate con una dulzura que yo no te puedo garantizar. Te deseo tanto y tan apasionadamente que siempre estoy al borde de perder el control.

A pesar de sus palabras, se inclinó sobre ella y la besó con desenfreno. Cada vez llovía con más fuerza, y Tessa se aferró desesperadamente a él. Grant había sobrepasado un punto sin retorno. Necesitaba tocarla, probarla, tenerla. Necesitaba todo lo que ella estuviera dispuesta a dar.

Tessa se arqueó y se frotó contra su erección. Él le llevó las manos a la cintura y le metió los dedos por debajo de los pantalones.

En ese momento, un rayo iluminó el cielo. Tessa tomó a Grant de la mano y lo llevó hacia la laguna, corriendo y riendo mientras la lluvia insistía en empaparles la ropa. Él la miró y pensó que estaba impresionante con el pelo mojado y pegado a la cara.

Al cabo de unos segundos, se encontraron en una cabaña que estaba semioculta entre los árboles. Tessa se apoyó en uno de los postes, jadeando, y sonrió.

—Oh, Tessa…

Ella le puso un dedo en los labios.

—No me dejes esta vez —le rogó—. Quédate conmigo, Grant. Lo necesito.

Grant le apartó el cabello de la cara.

—No te lo podría negar aunque quisiera. Ni siquiera sé por qué lo he intentado… Pero admito que tengo miedo.

—¿Miedo? ¿De qué?

—De todo esto, de ti… Tu primera vez debería ser más especial. Mereces algo mejor que una cabaña abandonada en una noche de tormenta.

—Esta cabaña es muy especial para mí. Jugaba en ella cuando era niña, y soñaba con caballos y príncipes azules. —Tessa le pasó los brazos alrededor del cuello—. Además, cualquier lugar sería especial si estoy contigo.

Él inclinó la cabeza y susurró:

—Estoy tan nervioso como si también fuera mi primera vez.

Ella le dio un beso en los labios.

—Entremos entonces —dijo—. Nos quitaremos el miedo el uno al otro.

Tessa no podía creer lo que estaba haciendo, pero alcanzó la llave que siempre dejaban en el marco de la puerta y abrió. Luego, tomó a Grant de la mano y lo llevó dentro. La miraba con tanta angustia que casi le pareció gracioso. Era evidente que se preocupaba por ella. Y, en ese momento, se dio cuenta de que se había enamorado de aquel hombre de la gran ciudad.

–No te preocupes por mí –le dijo–. Haz lo que te apetezca.

Grant sacudió la cabeza.

–Es curioso, para ya no sé lo que quiero hacer… Todo esto es tan nuevo para mí. Solo quiero que sea bonito para los dos.

Ella volvió a sonreír, asombrada ante el hecho de que tuviera tanto poder sobre un hombre tan fuerte e imponente. Por lo visto, no tenía más opción que tomar la iniciativa. De lo contrario, Grant retrasaría el momento y la tensión sexual se volvería insoportable.

Sin dejar de mirarlo a los ojos, se desabrochó la camisa y la dejó caer al suelo. Después, se quitó las botas e intentó quitarse los vaqueros con elegancia, pero eran elásticos y le costó más de un salto y un par de gruñidos. No fue un espectáculo precisamente sexy. O, al menos, no lo fue para ella; porque Grant miró sus pechos y sus piernas desnudas con tanta intensidad como si hubiera sido el más provocador.

Tessa sacó fuerzas de flaqueza y se liberó de la camiseta que llevaba por debajo de la camisa, quedándose en bragas y sostén.

–Tenía intención de seducirte en tu cabaña, ¿sabes? –le confesó–. Pero, cuando has abierto la puerta, me he asustado.

Grant la siguió admirando en silencio, y ella deseó que hiciera algo, que pronunciara alguna palabra. No era la primera vez que estaba excitada, pero aquello la estaba volviendo loca.

–Si no dices algo, te juro que me vuelvo a poner los pantalones –lo amenazó.

Él tragó saliva y dio un paso adelante.

–Eres preciosa, Tessa… Quiero tomarme las cosas con calma, pero sospecho que perderé el control en cuanto te toque.

Tessa se sintió tan sexualmente halagada que perdió parte de su timidez.

–No soy de cristal, guapo. Quiero que me toques, y quiero que te desnudes.

Grant asintió y se quitó la ropa con una velocidad sorprendente. Y esta vez fue Tessa quien se quedó sin habla. En parte, porque nunca había estado con un hombre desnudo; y, en parte, porque tenía un cuerpo maravilloso.

–No sé si debería sentirme avergonzado o encantado de que me mires así –dijo él–. Solo sé que estás jugando con fuego.

–Puede que quiera jugar con fuego –susurró ella–. Puede que te quiera provocar para que pierdas el control y me tomes de una vez.

Grant se acercó con la elegancia de un depredador. Ella se estremeció de placer, embriagada por la excitación y por el suspense ante lo que iba a ocurrir.

–Es tu última oportunidad, Tessa. ¿Estás segura de que quieres mi pasión?

Tessa le pasó las manos por el pecho.

—Por supuesto que lo estoy.

Grant la abrazó con fuerza y asaltó su boca durante unos segundos. Luego, le lamió el cuello, le quitó el sostén y se inclinó para acceder a sus pezones.

Tessa estaba sobre aviso. No se podía decir que no supiera lo que iba a pasar. Pero no había imaginado que las reacciones de su cuerpo serían tan intensas ni que se sentiría dominada por un sentimiento de euforia que no había experimentado nunca.

Grant la alzó en vilo y la llevó a la vieja cama de la cabaña, donde se tumbó sobre ella. Tessa separó las piernas para que se acomodara. También era la primera vez que sentía el peso de un hombre, y le pareció tan bello como natural.

—Quiero tocar todo tu cuerpo, Tessa. Pero, ahora mismo, no deseo otra cosa que estar dentro de ti.

Ella le acarició el cabello y sonrió.

—Yo deseo lo mismo, Grant.

—No sabes cuánto me alegro. Aunque habrá que esperar un poco… antes, tengo que asegurarme de que estás preparada.

Grant se incorporó, le quitó las braguitas con un movimiento rápido y, tras meterle una mano entre los muslos, la empezó a acariciar.

—Eres tan bonita… —susurró.

Tessa cerró los ojos y se dejó llevar por sus caricias, dejándole todo el control. Si hubiera sido por ella, le habría rogado que acelerara el ritmo. Sin embargo, sus dedos eran tan expertos y le arrancaban sensaciones tan abrumadoras que no lo quiso interrumpir.

Grant nunca había sido un amante egoísta. No era de los que tomaban a una mujer sin preocuparse por sus necesidades. Pero aquella fue la primera vez que deseó seguir así eternamente, satisfecho con el sencillo placer de dar placer a otra persona y de admirarla sin más.

–Tómame, por favor...

Grant se detuvo. La habría llevado al orgasmo con sus caricias, pero no le podía negar ese deseo.

–Tenemos un problema, Tess. No tengo preservativos.

Ella sonrió.

–¿Crees que te iba a seducir sin estar preparada? Llevo uno en el bolsillo de los vaqueros.

Él se apartó y empezó a buscar con desesperación.

–Está en el bolsillo izquierdo –dijo ella entre risas.

Grant encontró lo que buscaba, rompió el envoltorio y se puso el preservativo antes de volver a tumbarse encima de ella. Tessa separó las piernas. Para entonces, la tormenta había empeorado tanto que los truenos hacían temblar las ventanas de la cabaña.

Él la besó e intentó hacer caso omiso de la presión que sentía en el pecho. Sus sentimientos lo estaban traicionando, pero no se podía ilusionar con un amor imposible. Los dos sabían que su relación era puramente sexual. Conocían el terreno que pisaban. No pedían ni esperaban nada que el otro no estuviera dispuesto a dar.

Grant la empezó a penetrar con delicadeza, y se detuvo cuando ella soltó un grito ahogado.

–¿Estás bien?

Ella asintió y arqueó las caderas hacia arriba.

–No pares...

Grant apretó los dientes y acató su orden. Nunca se había encontrado en esa situación, y no estaba seguro de lo que debía hacer, de cómo conseguir que fuera una experiencia perfecta para ella.

Entonces, Tessa le acarició los hombros, le pasó los dedos por el pelo y empezó a mover las caderas con descaro. ¿Quién era ahora el más tímido de los dos? Él estaba tan nervioso como un primerizo; ella, tan relajada como una amante experta.

Se apoyó en los codos y adoptó un ritmo rápido e intenso, a pesar de que temía que le hiciera perder el control. Pero Tessa lo perdió antes. Súbitamente, cerró los ojos con fuerza, abrió la boca y dejó escapar un gemido que a él le pareció el más dulce que había oído nunca.

Había llegado al orgasmo. Y, cuando vio su gesto de satisfacción, Grant se dejó llevar y se arrojó con ella al dulce abismo.

Tessa se había quedado sin habla.

¿Cómo era posible que se hubiera negado esa experiencia durante tantos años? Había antepuesto su carrera y su estilo de vida ordenado al resto de sus necesidades. Pero acababa de satisfacer esas necesidades, y no volvería a cometer el error de despreciarlas.

—Casi puedo oír tus pensamientos… —dijo Grant mientras le acariciaba un brazo.

Tessa lo miró en silencio. Tenía la cabeza apoyada en su pecho, y era tan feliz que no quería que aquella noche de tormenta terminara nunca. Se sentía como si todo encajara de repente y el mundo fuera un lugar perfecto.

—No te arrepientes, ¿verdad? —preguntó él.

Tessa sonrió.

—Claro que no. Solo estaba disfrutando del momento.

Grant la acarició con suavidad.

–Es la primera vez que hago el amor en mitad de una tormenta. Y reconozco que tiene su interés…

Tessa soltó una carcajada.

–Bueno, yo no había pensado nunca que las tormentas fueran románticas, pero creo que me parecerán esencialmente románticas a partir de ahora.

–No sé qué decir… He rodado varias veces bajo la lluvia, y te aseguro que no suele ser tan divertido como lo de hoy.

El sol ya se había ocultado para entonces, y los destellos ocasionales de los rayos eran lo único que iluminaba la cabaña.

–Si las tormentas te ponen nervioso, podríamos ir a tu casa…

–Estoy con una mujer desnuda entre mis brazos, Tessa. No tengo ninguna prisa por marcharme –declaró–. Y, por otra parte, no estoy nervioso. Satisfecho y relajado, sí; pero nervioso, no.

Tessa le puso la mano en el pecho.

–No sabes cuánto me alegro de haberte conocido. Aunque no me agradaba la idea de que rodarais una película en el rancho.

Grant rio.

–¿Aunque no te agradara? ¿Es que ahora te gusta?

–No exactamente. Pero ahora sé que te encargarás de que mi familia quede bien –contestó–. Eso era lo que más me preocupaba.

–¿Y qué otras cosas te preocupan?

–¿De la película? ¿O de la vida en general?

–¿Tantas preocupaciones tienes? –preguntó en tono de broma–. Porque, en ese caso, creo que conozco un método perfecto para quitártelas de la cabeza.

Él le dio un beso en la frente y le separó las piernas como si quisiera hacer el amor de nuevo.

–¿Otra vez? –preguntó, sorprendida–. Quiero decir… ¿Ya estás preparado?

A Grant se le escapó una carcajada tan sonora que ella se sintió ridícula.

–Ten un poco de paciencia conmigo –protestó Tessa–. Soy nueva en estas lides…

–No, ya no eres nueva. Te has convertido en una mujer con experiencia, y eso merece que te conceda el control absoluto de la situación. Haz lo que tú quieras… Como tú quieras.

Tessa se puso a horcajadas sobre Grant, aunque no sabía qué hacer.

–¿Estás seguro? –preguntó con timidez–. Solo tenía un preservativo, y ya lo hemos usado. No esperaba que lo hiciéramos más veces.

–Bueno, nunca he hecho el amor sin protección… Aunque supongo que me puedo refrenar…

Tessa se mordió el labio. Su mente le decía que era mejor que olvidaran el asunto, pero su cuerpo estaba en desacuerdo.

–No hace falta. Estoy tomando la píldora por motivos de salud –dijo.

–En ese caso…

Grant cerró las manos sobre sus pechos y alzó ligeramente la cadera, tentándola.

–Eh, no estás jugando limpio –dijo Tessa.

–Yo no estoy jugando, cariño. Me tomo muy en serio el sexo.

Tessa decidió darle una lección. Había dicho que dejaba el control en sus manos, y estaba más que dispuesta a tomarle la palabra.

Con un movimiento tan lento como grácil, descendió sobre él y lo llevó a su interior. Grant soltó un gemido y ella sonrió, satisfecha. Estaba segura de que habría interpretado su lentitud como una provocación maliciosa; pero, a decir verdad, se había movido así porque quería asegurarse de que no estaba demasiado dolorida.

–Oh, Tessa. Me estás matando…

Tessa se empezó a mover, excitada. Tenía miedo de encariñarse demasiado de Grant, pero decidió disfrutar del instante y olvidar sus temores.

El hombre de la gran ciudad estaba a punto de descubrir cómo se las gastaban las chicas de campo.

Capítulo Nueve

Tessa despertó de repente, sin saber por qué. Pero, al mirar a Grant, comprendió el motivo. Tenía una de sus pesadillas.

–¡Para, Melanie! –gritó.

Tessa se quedó helada. No sabía quién era Melanie. Solo sabía que formaba parte de sus pesadillas. Y cruzó los dedos para que no fuera su novia o, peor aún, su esposa.

–Grant… –Tessa lo sacudió–. Grant, despierta…

Grant dejó de moverse y abrió los ojos. Pero se quedó tan callado que, durante unos segundos, Tessa no supo si estaba despierto o seguía dormido.

–¿Tessa…?

–Espero no haberte hecho daño. Te he sacudido porque tenías una pesadilla.

Grant se pasó una mano por la cara y suspiró.

–Siento haberte despertado.

–No te preocupes por eso. Pero esta es la segunda vez que me despiertas con tus gritos y, teniendo en cuenta que has pronunciado el nombre de una mujer, creo que merezco una explicación –dijo, intentando mantener la calma.

–¿El nombre de una mujer?

–Sí. Melanie.

Grant se levantó de la cama y empezó a recoger su ropa. Tessa supuso que su encuentro romántico había terminado e hizo lo mismo.

Al cabo de unos segundos de silencio, él declaró:

–Melanie es mi hermana. Mi hermana gemela.

Tessa se sintió increíblemente aliviada.

–¿Y por qué tienes pesadillas con ella?

Grant terminó de vestirse. Después, abrió la puerta de la cabaña y se quedó mirando el paisaje nocturno.

–Por algo que ocurrió hace años. No tiene nada que ver contigo.

El comentario de Grant le dolió. ¿Por qué se negaba a contárselo? ¿Por qué le negaba su confianza? Era evidente que a Melanie le había pasado algo y que, fuera lo que fuera, había sido traumático para él.

–Se está haciendo tarde –dijo ella, cambiando de conversación–. Podríamos volver, pero está muy oscuro y no tengo linterna.

Grant le pasó un brazo alrededor de la cintura.

–Tienes tanta prisa por marcharte que voy a pensar que no te gusta mi compañía…

–Oh, te aseguro que he disfrutado enormemente de tu compañía. Pero este no es sitio para dormir.

–¿Por qué no? Yo estaba encantado hasta hace unos minutos. Y lo volvería a estar si te quitaras la ropa que te acabas de poner –dijo Grant–. Sin embargo, tienes razón… Si nos quedamos a dormir aquí y nos descubren, perdería mi trabajo.

Tessa se llevó una decepción. Sabía lo de la cláusula de su contrato, pero no se le había ocurrido que pudiera ser un problema. Y, después de hacer el amor con él, le apetecía cualquier cosa menos guardarlo en secreto y mentir a los demás.

–No me mires así, Tessa… Compréndelo, por favor. No me puedo arriesgar a perder mi empleo.

Ella le dio un apretón cariñoso.

–Descuida, yo no haría nada que pusiera en peligro tu carrera. Además, tampoco espero que a partir de ahora te dediques a entrar a hurtadillas en mi habitación.

–Pues deberías esperarlo, porque quiero mucho más que una simple noche. El hecho de que no nos puedan ver en público no significa que no me vaya a acostar contigo todos los días. Tú y yo acabamos de empezar. Esto solo es el principio.

–¿Y qué pasará si te descubren? –preguntó–. Tu equipo llega dentro de poco, y habrá guardias de seguridad por todas partes… ¿Qué vas a hacer? ¿Teletransportarte a mi dormitorio?

–No lo sé, pero ya pensaré en algo.

Grant se giró hacia ella y le dio un beso.

–Dime que tú también lo deseas, Tessa –continuó–. Dímelo.

Ella asintió, encantada.

–Sí, yo también lo deseo. Estaremos juntos aunque nos tengamos que esconder constantemente.

Tessa no estaba acostumbrada a mentir ni a ocultarse. Su vida era un libro abierto, lleno de planes y horarios de trabajo. Pero tuvo la sensación de que iba disfrutar con aquella Tessa nueva que Grant había liberado.

Además, la idea de esconderse añadía un elemento de excitación y aventura a lo que ya tenían, porque todo lo demás seguiría igual.

Solo había un problema.

¿Qué iba a hacer la Tessa nueva cuando Grant se marchara de Stony Ridge? Al fin y al cabo, nunca había dicho que quisiera quedarse.

***

–Parece que todo está perfecto –dijo Anthony Price mirando los remolques y el equipo que acababan de instalar junto a los establos–. Me asombra que no falte nada. Siempre queda algún problema técnico por resolver.

Bronson rio.

–No, no siempre. Solo cuando tú estás a cargo de las cosas –puntualizó–. Pero, afortunadamente, Grant no es como tú.

Grant no dio importancia al rifirrafe de sus dos amigos. Habían sido enemigos declarados durante mucho tiempo, pero las cosas cambiaron cuando se develó el secreto de que los dos eran hijos de la misma mujer, Olivia Dane, un mito de Hollywood.

–Bueno, tuve un par de problemas, pero los he podido solventar –les confesó–. Por cierto, será mejor que empecemos por las escenas de los establos. Tessa y Cassie se están entrenando para el derbi de Kentucky, e interferiríamos en su preparación si las posponemos.

–Estoy de acuerdo contigo –dijo Bronson, que echó un vistazo rápido a las notas de producción–. Sin embargo, siento curiosidad por esa cabaña que, según dices, está junto a una laguna. No es que no me fíe de ti, pero me gustaría verla.

Grant asintió y sonrió para sus adentros. Además de violar la dichosa cláusula del contrato, la había violado en un sitio donde iban a rodar varias escenas de la película.

–Max llega mañana, así que le pediré su opinión –continuó Bronson–. Trabajamos juntos hace unos meses, y me consta que siempre tiene algo interesante que decir.

–Sí, yo también he trabajado con él –dijo Grant–. Es uno de los mejores actores que he conocido… y

Lily, una de las mejores actrices. Estoy seguro de que la película va a ser un éxito.

–Yo también lo estoy –intervino Anthony–. Pero quiero ver el rancho antes de que lleguen los demás.

Grant se giró hacia las caballerizas.

–En ese caso, seguidme.

Mientras caminaban, Tessa salió de los establos a lomos de Don Pedro. Grant intentó disimular, pero se sentía tan atraído por ella que le lanzó una mirada intensa. No había olvidado lo sucedido en la cabaña de la laguna.

–Oh, no… –dijo Bronson.

Grant se giró y vio que los dos hermanastros lo miraban con desconfianza.

–Dime que no lo has hecho –le instó Anthony.

Grant frunció el ceño.

–¿De qué demonios estás hablando?

–De la belleza que acaba de pasar ante nosotros –contestó–. Y no me refiero al caballo.

Grant apartó la mirada y siguió andando, con la esperanza de que no vieran su expresión.

–Te preocupas sin motivo. Tessa y yo solo mantenemos una relación profesional. De hecho, me ha ayudado mucho con las localizaciones.

–Si tú lo dices… –dijo Bronson–. Pero espero que sea cierto, porque Marty te matará si vuelve a surgir un problema como el que tuviste con aquella maquilladora.

Grant rio, aunque estaba un poco harto de que se lo recordaran.

–Te aseguro que no voy a cometer el mismo error.

Grant los acompañó al interior del edificio y se lo enseñó. Durante la visita, vio que Nash estaba limpiando el cubículo de Don Pedro y se preguntó si

Tessa seguía desconfiando del nuevo mozo de cuadra. A él solo le parecía un buen trabajador; quizá algo misterioso y taciturno, pero nada más. De hecho, lo había investigado y no había descubierto nada sospechoso.

Ya habían salido de las caballerizas cuando Cassie se les acercó con una sonrisa y estrechó la mano a los recién llegados.

—Buenos días, chicos. Soy Cassie Barrington, y supongo que vosotros sois Bronson y Anthony…

Tras los saludos oportunos, ella añadió:

—Tessa está a punto de terminar. Hoy se ha esforzado mucho, así que me voy a encargar de que lo deje más temprano que de costumbre.

—¿Le pasa algo? —preguntó Grant.

—No, aunque hace dos días que está un poco rara… No sé por qué.

Grant sabía exactamente lo que le pasaba, pero se lo calló y, por supuesto, hizo caso omiso de las miradas que le lanzaron sus dos amigos. Estaba decidido a mantener su relación con Tessa en secreto. No quería perder su trabajo, ni la oportunidad de tener su propia productora.

—¿Te puedo pedir un favor, Cassie?

—Faltaría más…

—Si no te importa, preséntales a Tessa. Acabo de recordar que tengo que hacer una llamada importante… Y ya puestos, ¿podrías presentárselos a tu padre? Ahora no está en casa, pero supongo que volverá en algún momento.

—Será un placer —dijo Cassie, ajena a las verdaderas preocupaciones de Grant—. Haz lo que tengas que hacer. Tessa y yo nos encargaremos de todo.

Mientras Grant se alejaba, oyó que Anthony mencionaba la cabaña de la laguna. Y se alegró de haber puesto tierra de por medio; porque si hubiera puesto un pie en esa cabaña y Tessa hubiera estado presente, todos se habrían dado cuenta de lo que pasaba.

Ya no era capaz de disimular sus emociones. Tessa había cambiado algo en su interior. Algo que le podía causar un sinfín de problemas.

Tessa estaba enfadada. En primer lugar, porque su antiguo novio le había dejado dos mensajes más en el buzón de voz y, en segundo, porque odiaba estar pendiente del reloj. Pero, sobre todo, porque las horas iban pasando y Grant no aparecía. De hecho, ni siquiera había estado presente cuando Cassie le presentó a Anthony y Bronson. Cualquiera habría dicho que la estaba rehuyendo, y no le gustaba nada.

Se acababa de poner el camisón cuando oyó un golpecito en la ventana de su dormitorio, cruzó la habitación, descorrió las cortinas y echó un vistazo. Era Grant, que estaba lanzando mantillo del jardín.

—¿Se puede saber qué estás haciendo? —preguntó tras abrir la ventana—. Te recuerdo que esta casa tiene dos puertas a las que puedes llamar.

—Bueno, me ha parecido que esto sería más romántico… He intentado encontrar gravilla, pero no hay; así que he tenido que improvisar con pegotes de mantillo —dijo con humor.

Tessa soltó una carcajada.

—Anda, deja de tirar cosas. Te abriré por detrás.

Tessa alcanzó un batín y se lo puso, a pesar de que Grant ya había visto todo lo que se podía ver. Después, se lo cerró y bajó por la escalera a toda prisa, encantada ante la noche que tenían por delante.

Cuando abrió la puerta, Grant entró y la miró de arriba a bajo con una gran sonrisa en los labios.

–Es tarde. Estaba a punto de irme a la cama.

–Entonces, he llegado justo a tiempo.

Ella intentó dar media vuelta, pero él la tomó de la muñeca y la apretó contra su duro pecho.

–Te he extrañado mucho, Tessa.

Grant le acarició el pelo con tanto cariño que ella se sintió en la necesidad de pasarle los brazos alrededor del cuello y mirarlo con ternura. Solo había pasado un mes desde que se conocieron, pero ya conocía su sabor, su forma de besar, la pasión que ponía en el más leve de los abrazos. Y no podía negar que ella también lo había echado de menos.

–No sabes cuánto me cuesta mantener las distancias –continuó él.

Tessa rompió el contacto y se lo llevó de la cocina.

–No parece que te cueste mucho, la verdad. Casi no me has dirigido la palabra desde que hicimos el amor en la cabaña de la laguna. Hasta te las has arreglado para no estar presente cuando Cassie me presentara a tus amigos.

–No te enfades, Tessa… Lo he hecho porque no puedo ocultar lo que siento cuando estoy contigo. Bronson y Anthony me conocen demasiado bien. Se darían cuenta al instante. Nunca he sido un buen actor –dijo con sinceridad.

Ella sonrió.

–Está bien, te creo. Pero, ¿por qué no subimos a mi habitación? Estamos en mi casa, y no tenemos que ocultarnos de nadie.

De repente, Grant la tomó en brazos y la llevó hacia la escalera.

Tessa le mordió el cuello con suavidad.

Él la miró fijamente y dijo:

–Espero que seas consciente de que me voy a quedar un buen rato.

–Márchate si te atreves –lo desafió–. Aunque admito que este secretismo me está empezando a gustar.

–Sabía que llevabas una pícara dentro…

–¿Crees que te habrá visto alguien?

Grant entró en el dormitorio y contestó:

–Lo dudo mucho. Me he vestido de negro y he venido andando.

–¿Has venido andando? –dijo, sorprendida.

Grant la dejó en el suelo.

–Sí. No me he querido arriesgar a que vieran mi coche. Además, así me aseguro de dar esquinazo a los guardias… Aunque me ha parecido que esta noche solo había uno.

Tessa le puso las manos en la cara y se la acarició. Le encantaba su barba de dos días.

–Te has tomado muchas molestias para llegar –admitió en voz baja–. Tendré que encontrar la forma de agradecértelo.

Tessa se apartó de él, se abrió el batín y lo dejó caer al suelo. Grant miró su sencillo camisón de algodón y pensó que estaba absolutamente deliciosa.

–¿Eso es lo único que piensas hacer? ¿Mirarme? –preguntó ella–. Venga, quítate ese disfraz de ladrón que te has puesto.

Grant rompió a reír.

–¿Sabes que puedes ser muy descarada cuando quieres?

–Por supuesto que lo sé. Es una de mis mejores virtudes –ironizó.

Grant se quitó la camiseta por encima de la cabeza y la tiró sin contemplaciones. Tessa se quedó admirada con su ancho pecho y los gloriosos músculos de sus brazos; pero, por mucho que le gustara mirar, prefería tocar.

Para entonces, ya sabía que, cuanto más tiempo pasara, más le costaría alejarse de él y fingir que no se estaban acostando. Pero no quería pensar en las complicaciones de su relación. De momento, solo quería disfrutar del presente.

Tessa se quedó asombrada cuando entró con Oliver en los establos y vio que Max Ford ya estaba en el plató, preparándose para un nuevo día de rodaje. Debía de estar encantado con la película para levantarse tan temprano.

Sin embargo, la película ya no le preocupaba tanto como su relación con Grant. Él llegaba de noche y se marchaba antes del amanecer, y se sentía terriblemente decepcionada cuando despertaba en su habitación y se encontraba sola.

Y empezaba a estar harta de ese juego.

Tras desensillar a Oliver, alcanzó el cepillo y se lo pasó por el lomo. Luego, dejó al caballo en su cubículo y fue a buscar un poco de hecho. Pero al girar en una esquina se dio de bruces con Nash, el mozo de cuadra.

—Oh, discúlpame… —dijo él en voz baja.

Tessa retrocedió. Seguía sin fiarse de él.

—No te preocupes. Ha sido culpa mía.

Curiosamente, Nash no se apartó.

—Hoy hay mucho movimiento en el plató de cine…

A Tessa le sorprendió su actitud. Era la primera vez que le dedicaba más de dos palabras.

—Sí, es cierto. Aunque supongo que será peor a

partir de ahora —declaró—. Me han dicho que Lily llega mañana.

—Max Ford va a interpretar el papel de tu padre, ¿verdad?

Tessa asintió y lo miró con interés. Era un tipo extraño, de ojos tan azules como los suyos. Su apariencia era relativamente desaliñada; pero, al mismo tiempo, tenía unas manos perfectamente cuidadas, casi como si se hiciera la manicura.

—Sí. Y Lily va a interpretar a mi madre.

Nash asintió.

—¿Cómo va a empezar la película? ¿Con la boda de tus padres?

—Eso creo.

—¿Y solo va a tratar de la vida personal de Damon? ¿O también de su carrera?

Tessa se preguntó adónde querría llegar con tanta pregunta, pero contestó:

—De las dos cosas. Mi padre es el personaje principal. Parece que los demás no somos tan interesantes como él… —dijo con humor.

Nash no debió de entender la broma, porque se quedó tan serio como antes.

—En fin, voy a buscar heno. Siento haberme tropezado contigo.

—Descuida. Carece de importancia.

Tessa se alejó, consciente de que no tenía motivos para sospechar de Nash. Era cariñoso con los animales y, hasta entonces, no había hecho nada que indicara ninguna intención de hacer daño a alguien. Pero, a pesar de ello, desconfiaba de él.

Tras alimentar a los caballos, le entró hambre. Al salir de los establos, se quedó mirando a las cuatro personas que, en ese momento, mantenían una especie de reunión. Eran Grant, Bronson, Anthony y

Max. Por lo que sabía, los tres últimos estaban felizmente emparejados, y habían conseguido que sus relaciones amorosas no entraran en conflicto con su profesión, muy exigente.

Tessa sacudió la cabeza y se maldijo. ¿Qué estaba haciendo? ¿Buscar esperanza en las vidas de aquellos hombres? ¿Convencerse de que, si ellos podían mantener una relación a distancia, ella también podía? Para empezar, Grant nunca le había dicho que quisiera una relación seria.

Además, tenía que prepararse para el siguiente derbi. No debía perder el tiempo con posibilidades que solo estaban en su imaginación.

Tessa se dirigió a la casa de su padre y entró por la puerta de la cocina. Linda estaba dentro, sirviendo una taza de té.

–Es para ti –dijo la cocinera con una sonrisa–. Te he visto por la ventana y me ha parecido que necesitabas beber algo. Cualquier mujer se sentiría acalorada después de haber disfrutado de semejantes vistas… Esos hombres son muy atractivos.

Tessa rio.

–Eres muy perversa, Linda.

–No, solo soy vieja y sé lo que veo. Esos hombres van a conseguir que todas las mujeres del condado quieran ser extras en la película.

Tessa alcanzó la taza y echó un buen trago.

–Pues menos mal que hemos aumentado la seguridad –dijo con ironía–. Aunque tres de los cuatro ya tienen pareja.

–Los cuatro la tienen.

Tessa estuvo a punto de atragantarse.

–¿Qué quieres decir?

–Lo sabes perfectamente. Grant no tendría ojos para otra mujer. Solo los tiene para ti –contestó–. ¿O no te has fijado en cómo te mira?

Tessa sintió un vacío en la boca del estómago. ¿Cómo la miraba Grant? ¿Con simple deseo? ¿O con algo más profundo? Habría dado cualquier cosa por saberlo.

–No frunzas el ceño, Tessa. Te conozco lo suficiente como para saber que estás calculando cuánto tiempo os queda a los dos. Pero créeme… El amor sabe encontrar su camino. Deja de preocuparte con tonterías. Tus sentimientos te indicarán la dirección que debes tomar.

Tessa sacudió la cabeza.

–Esto no tiene nada que ver con el amor. Solo estamos…

Linda la miró con sorna cuando Tessa dejó la frase sin terminar.

–Sé lo que estáis haciendo, Tessa. Y me alegro mucho por vosotros –declaró–. De hecho, estoy segura de que Grant le gustaría mucho a tu madre.

Tessa pensó que tenía razón, pero no dijo nada.

–Hazme caso. Disfruta de la vida y no le des tantas vueltas a las cosas. Solo se vive una vez, querida mía… Además, sé que lo vuestro saldrá bien.

Tessa se acercó a Linda y le dio un abrazo.

–Menos mal que te tengo a ti. No sabes cuánto te quiero.

–El sentimiento es mutuo. Yo os quiero tanto como si fuerais hijas mías. Y siempre estaré a vuestro lado, pase lo que pase.

–Lo sé, Linda –afirmó–. Pero te ruego que, pienses lo que pienses sobre mi relación con Grant, lo guardes en secreto. Podría perder su trabajo si se enteran.

Linda sonrió.

–Oh, no te preocupes por eso. He visto y oído cosas a lo largo de mi vida que estremecerían a un muerto, pero no he dicho nada en ningún caso. Todos los secretos que conozco se irán conmigo a la tumba. Y, por supuesto, eso incluye tu relación con Grant.

Tessa se preguntó de qué secretos estaría hablando. Pero sabía que Linda no se los iba a contar, así que se abstuvo de interrogarla.

Al menos, contaba con su apoyo. Y, con un poco de suerte, nadie llegaría a saber que se estaba acostando con Grant.

Capítulo Diez

—La odio.

Cassie rompió a reír.

—La odias porque es rica, inteligente y extraordinariamente guapa. Pero eso no es justo, Tessa...

Tessa miró a Lily Beaumont, la extraordinaria belleza sureña que en ese momento estaba en compañía de Bronson y Anthony. De hecho, todo el mundo la estaba mirando.

—Sí, bueno... Supongo que tienes razón. Y, a decir verdad, no es cierto que la odie. Pero no sabes cuánto me gustaría —replicó—. No tiene ni un gramo de grasa... ¿Es posible que sea tan perfecta?

—Vete a saber. Puede que tenga un tercer pezón.

Cassie se rio de su propio chiste mientras Tessa se apoyaba en uno de los listones del cercado. La belleza de Lily no le molestaba en absoluto. Solo estaba nerviosa por lo que pudiera hacer Grant cuando la viera. Era una mujer impresionante. El tipo de mujeres que le gustaban a Grant.

—Por mucho que te disguste ese espantoso monstruo de ojos verdes, yo diría que es perfecta para interpretar el papel de mamá —continuó Cassie.

Tessa sonrió.

—Eso es cierto. Mamá era igual de joven. Tenía el mismo tipo de belleza y hablaba con el mismo acento del sur...

Cassie le dio una palmadita en la espalda.

–Bueno, será mejor que sigamos con nuestro trabajo. Ya la saludaremos cuando se te pase el ataque de celos compulsivos.

Justo entonces, Damon salió de la casa y se acercó a la actriz.

–Parece que papá se nos va adelantar… Me pregunto qué pensará de Lily.

Tessa había cambiado de opinión sobre la película. Al principio, se había opuesto a ella con todas sus fuerzas; pero, con el transcurso de los días, había terminado por esperar el rodaje con ansiedad. Conociendo a Grant Carter, estaba segura de que la obra sería un bello y fiel tributo a la vida de Damon y Rose Barrington.

–Va a ser duro para nosotras –dijo Cassie, que le pasó un brazo por los hombros–. Me refiero a ver la película y revivir el amor de nuestros padres, su matrimonio, nuestros propios nacimientos y…

–Y la muerte de mamá –la interrumpió, con un nudo en la garganta–. Sí, va a ser difícil, pero papá necesitará que seamos fuertes. Además, es bueno para todos. Nuestra familia ha trabajado muy duro para llegar a donde está, y me alegra que Hollywood se haya dado cuenta.

–Hablando de trabajo duro… tenemos cosas que hacer.

Las dos hermanas se alejaron del cercado y volvieron al interior de las caballerizas. Tessa miró a Cassie y pensó que iban a necesitarse la una a la otra durante las semanas siguientes. Por emocionante que fuera el rodaje, era una película sobre su familia. Y su familia tenía sentimientos.

***

Grant no había visto a Tessa en dos días. Trabajaba hasta muy tarde porque algunas de las escenas se tenían que rodar en plena noche, con la luz de la luna. Y, aunque ardía en deseos de verla, no había encontrado el momento.

Empezaba a estar harto.

Por suerte, solo faltaban cuarenta y ocho horas para el primer descanso largo del equipo, que iba a durar tres días. Estaba previsto en el programa de rodaje, y Grant sabía exactamente lo que iba hacer con su tiempo libre.

Necesitaba estar con Tessa, pero para algo más que para hacer el amor. Necesitaba demostrarle lo importante que era para él.

Tras hacer unas cuantas llamadas telefónicas, se dirigió al lugar donde iban a rodar la secuencia del día: la laguna de la vieja cabaña. Una secuencia romántica, con Max y Lily interpretando el papel de Damon y Rose en un pequeño picnic.

Grant estaba fascinado con los dos actores. Había llegado a apreciar mucho a los Barrington, y se emocionaba cada vez que se daban un beso en escena. Sin embargo, él no veía a Max y Lily. Ni siquiera veía a Damon y Rose. Se veía a sí mismo con Tessa.

¿Se habría enamorado de ella?

Había hecho lo posible por no encariñarse demasiado, pero no había otra explicación. Y, si efectivamente estaba enamorado de Tessa, tenía que afrontar el pasado y superar sus viejos temores. De lo contrario, no habría futuro por el que luchar.

Grant quería sentar cabeza. Quería rendirse al amor. Quería una relación como la de sus padres; como la de Damon y Rose Barrington.

Era consciente de que Tessa tendría mil razones para no estar con él. Pero el tenía muchas más.

Grant sabía que, si quería hablar con ella, tendría que llegar a los establos antes de que empezara con sus entrenamientos. Y, aprovechando que aquella noche se había acostado relativamente pronto, se levantó a primera hora de la mañana y se dirigió a su encuentro.

Tessa estaba tumbada en un montón de heno, con una manta por encima y una expresión absolutamente angelical.

Grant se acercó, se inclinó sobre ella y le quitó una pajita del pelo. Tessa no se movió, y él pensó que, incluso dormida, era la criatura más hermosa del mundo. Una criatura que, por lo visto, había estado trabajando toda la noche. Con sumo cuidado, le puso en una mano en el hombro y se lo apretó.

–Buenos días, preciosa…

Ella abrió los ojos y parpadeó varias veces.

A él se le encogió el corazón.

Ya no tenía ninguna duda. Estaba total y absolutamente enamorado de Tessa Barrington. Pero, ¿qué diría el objeto de su deseo cuando se decidiera a compartir con ella sus sentimientos?

Ella se sentó y sonrió.

–¿Qué estás haciendo aquí? No me digas que sales ahora de trabajar…

–No, me acosté hacia la una de la madrugada. En cambio, parece que tú has estado trabajando toda la noche.

–Sí. Tenía que echar un vistazo a los caballos.

Tessa se levantó y él frunció el ceño.

–¿Echarles un vistazo? ¿Para qué?

–Macduff se está comportando de forma extraña –dijo–. Nash se ofreció a quedarse con él, pero rechacé su ofrecimiento.

–¿Y qué tal está? Me refiero a Macduff, claro…

Ella dobló la manta y la dejó sobre un cajón.

–Bueno, creo que solo está un poco nervioso. Pero si sigue sin comer le diré a Cassie que llame al veterinario.

Grant no dijo nada. Se limitó a mirarla con intensidad. Estaba tan guapa con el pelo revuelto que la habría besado durante horas.

–Oh, no… –dijo ella.

–¿Qué ocurre?

–Que tienes esa mirada.

Él dio un paso adelante.

–¿Qué mirada?

–Lo sabes de sobra.

Grant sonrió.

–Pues sí, la tengo. Pero no parece que te moleste mucho…

Tessa retrocedió, aunque no sirvió de nada. Estaba acorralada en una esquina.

–No puedes huir –continuó él en voz baja–. Y estamos solos.

Él apoyó las manos en la pared, encajonándola. Tessa lo miró a los ojos y entreabrió la boca, como invitándolo.

¿Y quién era él para rechazar su invitación?

Suave y lentamente, reclamó los labios que ansiaba besar. Tessa se arqueó, recibiéndolo con placer, y Grant tuvo la seguridad de que estaba tan enamorada de él como él de ella. Sin embargo, aún no había llegado el momento de confesarle su amor. Primero, tenía que ajustar cuentas con el pasado y arreglar las cosas su familia.

Segundos después, rompió el contacto y dijo:

–He venido a verte por una razón, pero ya no la recuerdo… Cuando estoy contigo, no puedo pensar con claridad.

Ella le dedicó una sonrisa.

—¿Insinúas que no has venido a abusar sexualmente de una mujer dormida?

—Bueno, reconozco que eso ha sido una sorpresa de lo más agradable… —contestó—. Y, hablando de cosas agradables, voy a tener un descanso de tres días.

—¿En serio? ¿Y qué vas a hacer con tanto tiempo?

—Querrás decir qué vamos a hacer —la corrigió—. He hablado con Cassie, y le ha parecido bien que te tomes unas vacaciones.

Tessa se apartó de él, enfadada.

—Espera un momento… No puedo faltar tres días al trabajo. Estoy entrenando…

Él frunció el ceño.

—Llevas toda una vida entrenando, Tessa. No haces otra cosa que trabajar y trabajar. Mereces un pequeño respiro.

Ella se sacó una goma del bolsillo, se recogió el pelo y se hizo una coleta con una serie de movimientos tensos y nerviosos.

—No me puedo ir. Tengo un programa de trabajo, y me voy a atener a él. Además, los caballos necesitan ejercicio diario.

—Un ejercicio que Cassie estará encantada de ofrecerles.

Tessa se cruzó de brazos y se mordió el labio inferior, y Grant supo que su reticencia no tenía nada que ver con las obligaciones laborales.

¿Estaría preocupada ante la perspectiva de pasar tres días con él?

Grant dio por sentado que ese era el verdadero problema, pero guardó silencio y esperó, dispuesto a derrotar todas sus objeciones. La iba a alejar de las caballerizas aunque tuviera que echársela al hombro y sacarla de allí por la fuerza.

–No me agrada la idea de dejarlos al cuidado de Nash. Lleva muy poco tiempo en el rancho.

Grant soltó una carcajada.

–Nash trabaja para tu padre, y estoy seguro de que Damon sabe controlar a sus empleados. Además, conoce perfectamente sus obligaciones. Sabe lo que tiene que hacer.

–¿Y qué pasa con la cláusula de tu contrato? Si has hablado con Cassie, habrá llegado a la conclusión de que tú y yo…

Grant se encogió de hombros.

–Por Dios… estamos hablando de tu hermana, Tessa. En primer lugar, Cassie ya sospechaba lo que hay entre nosotros y, en segundo, no se lo dirá a nadie. Pero confío en ella. Y, de todas formas, necesitaba su apoyo para sacarte de aquí.

Tessa suspiró.

–Ni siquiera sé cómo es posible que esté sopesando la posibilidad de aceptar tu ofrecimiento…

–La estás sopesando porque lo quieres tanto como yo. –Grant le puso las manos en la cintura y se apretó contra ella–. La estás sopesando porque sabes que necesitas unas vacaciones, y porque deseas apasionadamente mi cuerpo.

–Vaya, vaya… Menudo par de tortolitos.

Grant y Tessa se giraron al oír la voz de Cassie, que los miraba con una gran sonrisa en los labios.

–Siento interrumpir, pero había quedado con mi hermana para trabajar un poco… –continuó.

A Tessa se le escapó una carcajada.

–Es culpa de él. Solo puede pensar en una cosa.

Justo entonces, sonó el teléfono móvil de Grant.

–Maldita sea… No tengo más remedio que contestar –dijo tras mirar la pantalla del aparato–. Ya hablaremos más tarde.

Grant no quería irse sin tener una respuesta definitiva de Tessa, pero era lo único que podía hacer. La llamada era del agente de Max Ford, un tipo que no era precisamente famoso por su paciencia.

Cuando terminó de hablar con el agente, le envió un mensaje a Tessa para que supiera cuándo pasaría a buscarla y qué tenía que guardar en su equipaje. Pero lo segundo no iba a ser un problema, teniendo en cuenta que también lo había planeado.

Tessa Barrington sería suya durante tres días enteros. Y estaba a punto de descubrir lo mucho que significaba para él.

−¿Esto va en serio?

Tessa se quedó boquiabierta cuando bajó del deportivo alquilado de Grant y se encontró delante de un pequeño reactor.

−Tiene que ser una broma... −insistió.

Él la tomó del brazo.

−No es ninguna broma. ¿Cómo creías que pensaba llevarte al sitio adonde vamos?

Tessa se encogió de hombros.

−Bueno, supuse que iríamos en coche... Pero no me has dicho adónde vamos, así que ni siquiera había pensado en un avión.

Grant rio.

−No me gustan los viajes largos en coche. Si duran más de dos horas, prefiero volar.

A ella le pasaba lo contrario. Prefería viajar por carreteras, ver sitios nuevos y conocer a otras personas. Pero estaba encantada de viajar con un hombre tan sexy como Grant Carter. Normalmente, solo viajaba con caballos.

Volvió a mirar el reactor y pensó que no podían

ser más distintos. Damon también tenía un avión privado, pero Tessa lo había usado muy pocas veces.

–¿Y se puede saber adónde vamos?

–Ya lo verás.

Tessa se detuvo al llegar a la escalerilla.

–¿Qué demonios se te ha ocurrido, Grant?

Él la empujó con suavidad, para que subiera.

–Descuida, no es nada terrible.

–Pues espero que no me lleves a ningún sitio elegante, porque no llevo ropa apropiada en la bolsa.

–No te preocupes. Me he ocupado de todo.

Momentos después, entraron en el avión. El piloto los estaba esperando.

En cuestión de segundos, el avión había despegado y surcaba rápidamente los cielos.

Grant la tomó de la mano y le acarició la palma con el pulgar. Tessa quiso creer que aquel viaje significaba algo, pero prefirió no hacerse ilusiones. Seguramente, se la había llevado de Stony Ridge sin más intención que alejarse de la gente y de los fotógrafos, para no tener que ocultarse todo el tiempo.

En cualquier caso, le agradecía que se hubiera tomado tantas molestias. La antigua Tessa se habría enfadado con él por organizar un viaje sin decirle nada; pero la nueva, la que se había enamorado de un productor de Hollywood, estaba encantada.

–¿Cuándo me vas a decir adónde vamos?

–Ahora mismo, si quieres…

–Por supuesto que quiero.

–No es nada especialmente excitante. Solo una pequeña cabaña en los bosques de Colorado –explicó–. Soy dueño de un buen pedazo de la zona, así que no nos molestará nadie.

Ella arqueó una ceja.

–¿Un buen pedazo?

Él la miró.

–Sí. Una montaña entera.

Tessa se dijo que era típico de Grant Carter. ¿Por qué molestarse en comprar una simple cabaña, cuando podía comprar la montaña entera? Los Barrington también tenían mucho dinero, pero nunca pensaban en esos términos.

De todas formas, no era un asunto que le preocupara en absoluto. Por una vez en su vida, se iba a olvidar de los caballos, los horarios y los programas de trabajo y se iba a limitar a disfrutar del presente. Durante tres largos días.

Además, estaba abierta a cualquier cosa que le hubiera preparado. Grant era más que capaz de hacerle olvidar el tiempo y el espacio. Y ardía en deseos de que se los hiciera olvidar otra vez.

Una pequeña cabaña.

Tessa rompió a reír cuando el coche se detuvo delante el edificio.

–¿No habías dicho que era pequeña?

Grant asintió.

–Y es verdad. Por lo menos, si se compara con mi casa de Los Ángeles.

Tessa salió del coche. La casa, de dos pisos de altura, era de estilo rústico; pero con un porche que ocupaba toda la parte delantera y una balconada en el segundo piso. A simple vista, parecía tener alrededor de quinientos metros cuadrados.

–¿La has construido tú?

Grant sacó el equipaje del maletero y lo llevó a la puerta.

–En efecto. Necesitaba un lugar adonde me pudiera escapar entre película y película. Tengo un chalé en Hawái, pero siempre me han gustado las montañas –dijo–. Adoro el aire fresco y la tranquilidad de estos bosques.

Tessa tomó buena nota de sus palabras. Al parecer, tenían muchas cosas en común. Para empezar, que también le gustaba el campo.

Grant abrió la puerta y la invitó a entrar. Tessa se quedó anonadada. La planta baja era un espacio enorme, sin tabiques de separación. Y la pared del fondo consistía en un ventanal gigantesco con vistas a la localidad que estaba más abajo, al pie de la montaña.

–Si yo estuviera en tu lugar, me quedaría a vivir aquí. Es increíblemente bonito…

–Sí, pero no puedo quedarme. El trabajo obliga.

Ella se giró y arqueó una ceja.

–Pues yo estaría dispuesta a vender mi propiedad y mudarme a esta casa ahora mismo. ¿Alquilas habitaciones?

Grant rio y se detuvo a su lado.

–Si te gusta tanto ahora, tendrías que verlo en otoño, cuando las hojas de los árboles se vuelven doradas y rojas. O en invierno, con toda la nieve… Es un lugar mágico.

Tessa pensó que no era solo mágico, sino también romántico. Y como soñar no hacía daño a nadie, se imaginó a sí misma en aquella casa, disfrutando de la gama de colores en septiembre y del blanco intenso en enero.

–Gracias por traerme, Grant. Si hubiera sabido lo bonito que era, no habría protestado.

Él la abrazó y le acarició la espalda.

–No importa. Sabía que cambiarías de opinión en cuanto lo vieras.

Tessa rio.

–Y aún no has visto lo mejor –continuó él con una sonrisa–. Tengo una sorpresa para ti. Está en el dormitorio principal.

Ella lo miró con tanta intensidad que Grant supo lo que estaba pensando.

–No, no… Ahora, no. Tengo algo para ti. Aunque si prefieres dejarlo para más tarde…

–Bueno, teniendo en cuenta que son las nueve de la noche, supongo que más tarde estaremos ocupados –dijo ella con picardía.

Él le dio un beso en el cuello.

–No te preocupes por la hora. Tenemos tiempo de sobra para jugar.

Tessa volvió a reír.

–Está bien, me has convencido… Quiero mi regalo.

El teléfono de Grant se puso a sonar y rompió el hechizo. Él gimió y ella dio un paso atrás, decepcionada.

–Lo siento, pero tendré que contestar. Es una llamada importante –dijo él–. ¿Por qué no subes al piso de arriba? El dormitorio principal está al final de la escalera.

Tessa subió por la ancha escalera y se llevó una nueva sorpresa: todo el segundo piso era una gigantesca suite, con una cama digna de reyes.

Una vez más, pensó que se quería quedar a vivir en esa casa.

Incluso se puso hacer planes sobre los edificios que tendrían que construir y el lugar donde estarían las caballerizas.

Pero sacudió la cabeza y se recordó que aquello era una fantasía. No se iba a quedar. Solo estaba de vacaciones. Al cabo de tres días, ella volvería a la realidad de sus entrenamientos y Grant, a la realidad de sus películas.

Aún lo estaba pensando cuando el teléfono empezó a vibrarle en el bolsillo. Tessa lo sacó y se estremeció. Era un mensaje de Aaron, que decía así:

Deja de rehuirme, Tessa. Ya te he dicho que siento lo que pasó. Necesito verte.

Tessa se guardó el teléfono en el bolsillo. Ni había contestado a sus mensajes anteriores ni tenía intención de responder ahora. No iba a permitir que su exnovio le arruinara el fin de semana. No iba a permitir que nadie se lo arruinara.

Cruzó la suite y entró en la zona del dormitorio, que estaba decorado en tonos ocres. Y allí, colgada de la puerta del armario, había una bolsa blanca con una nota en la que leía su nombre, Tessa.

Alcanzó la bolsa, la abrió y se encontró con el vestido más bonito que había visto nunca. Era largo, sin mangas y de color azul zafiro. Tessa pasó una mano por la delicada prenda y la sacó mientras se preguntaba por qué le habría regalado algo así.

Se quitó la ropa que llevaba, la dejó sobre el arcón que estaba a los pies de la cama y se puso el vestido. La cremallera lateral subió perfectamente, como si le hubieran hecho la prenda a medida. Después, se miró en el espejo y casi se sorprendió al ver que el color iba a juego con sus ojos y que, con el pelo suelto por los hombros, estaba preciosa.

Se emocionó tanto que los ojos se le llenaron de lágrimas.

No le importaba que aquello fuera una fantasía. Disfrutaría de su fin de semana con Grant Carter y procuraría ser feliz.

Aunque solo fuera porque el recuerdo de esos días tendría que servir para toda la vida.

Grant se había puesto una camisa y unos pantalones negros de vestir. Acababa de llamar a su madre, y se había cambiado en el dormitorio de la planta baja, donde estaba su ropa. Se la habían llevado ese mismo día, junto con el vestido de Tessa.

Cuando salió, la vio en lo alto de la escalera. El vestido se ajustaba perfectamente a su esbelta figura, y le realzaba el color de los ojos. Estaba impresionante.

–No sé qué tienes pensado, pero tu regalo me encanta –dijo ella.

Grant rio y la tomó de la mano cuando llegó abajo.

–Te queda muy bien. Pero no deberías darme las gracias a mí, sino a Victoria Dane Alexander.

Tessa lo miró con asombro.

–¿La famosa diseñadora?

–Es hermana de Anthony Price y Bronson Dane. La llamé para pedirle un favor, y resultó que tenía varios diseños como el que yo estaba buscando. Por suerte, Cassie me había dado tu talla, así que fue coser y cantar –explicó.

–Eso significa que esta escapada no ha sido precisamente espontánea. No has podido organizarlo todo en tan poco tiempo.

Grant se encogió de hombros.

–No, claro que no… Pero estaba seguro de que encontraría la forma de alejarte de los establos. Aunque tuviera que sacarte por la fuerza.

–Eres sorprendente, Grant. Chascas los dedos y consigues que una de las diseñadoras más importantes del país te consiga un vestido.

Grant sonrió y la llevó hacia las puertas de cristal que daban al jardín .

—No ha sido tan fácil como eso, pero el dinero y los contactos facilitan bastante las cosas.

Antes de salir de la casa, Grant la detuvo, la tomó de la mano y la miró.

—¿Estás preparada para tu baile de fin de curso?

Tessa parpadeó, atónita.

—¿Cómo?

—Cuando nos conocimos, me dijiste que te gustaba tanto tu trabajo que ni siquiera habías asistido al baile de fin de curso del instituto —respondió Grant—. Y a mí me pareció una pena, así que lo he recreado… por decirlo así.

Ella soltó una carcajada.

—En cualquier caso, estará muy por encima de un baile de instituto. Me has traído en un avión privado, me alojas en una casa gigantesca que, además, está en una montaña que te pertenece y, por si eso fuera poco, me regalas un vestido de una de las mejores diseñadoras.

—Sí, eso es cierto…

Grant abrió las puertas, alcanzó el ramo de rosas que había dejado en el exterior y se lo dio.

—Esto es para ti.

—Oh, no, me voy a emocionar… Menos mal que nunca llevo maquillaje. Se me correría el rímel y me pondría muy fea.

—Tú estás preciosa con maquillaje y sin maquillaje.

Ella lo miró con una enorme sonrisa.

—Te parecerá ridículo, pero es la primera vez que un hombre me regala unas flores. Siempre me regalan un ramo en las carreras, pero es lo mismo que te lo regale un…

Él le acarició la mejilla.

—¿Un qué? ¿Un hombre que te adora? ¿Uno que te encuentra tan fascinante como sexy?

–Sí, exactamente –susurró.

–Pues no sabes cuánto me alegro de volver a ser el primer hombre en un aspecto de tu vida.

Grant le dio un beso, y ella se estremeció.

–Me estás mimando tanto que no estoy segura de que me pueda acostumbrar a tu ausencia cuando termines de rodar esa película…

Él no tenía intención de marcharse, pero se lo calló porque no era el momento oportuno. Ya había conquistado su cuerpo, pero aún tenía que conquistar su corazón. Y, por otra parte, no quería tomar decisiones sobre su futuro sin haber arreglado las cosas con su familia. Por eso había llamado a su madre por teléfono.

–Lo siento –dijo ella, sacudiendo la cabeza–. No te quería incomodar… Solo ha sido un comentario sin importancia.

–No te preocupes. No me has incomodado.

Grant se acercó al equipo de música que habían instalado en el jardín y lo encendió. Tessa rompió a reír al instante.

–¿Me estás tomando el pelo?

–En absoluto. Son las canciones que estaban de moda aquel año.

–Bueno, al menos no son las que estaban de moda el año en que tú terminaste la secundaria… –replicó con ironía.

Grant le quitó el ramo, lo dejó en una mesa y la tomó entre sus brazos.

–¿Me estás llamando viejo?

–Si eres capaz de seguir mi ritmo, no.

Grant la apretó contra su cuerpo.

–Tendrás que ser tú quien demuestre que puede seguir el mío.

–Y será un placer…

Tessa apretó los senos contra su pecho y lo besó. Grant le puso las manos en la espalda y, sin romper el contacto de sus labios, empezó a oscilar suavemente. Bailar con ella no estaba entre sus objetivos iniciales; pero, cuando mencionó que se había perdido el baile de fin de curso, le pareció una idea de lo más apetecible.

Además, cualquier razón era buena si implicaba tenerla entre sus brazos. Y habría hecho lo que fuera necesario para que se sintiera especial.

—No me puedo creer que te hayas tomado tantas molestias…

—¿Por qué no lo puedes creer?

Ella se encogió de hombros.

—No sé… Cenar y ver una película es una cosa, pero volar a un sitio como este y bailar bajo las estrellas es otra bien distinta.

—Tú mereces eso y mucho más.

Tessa decidió ser sincera con él.

—Detesto tener que fingir que no estamos juntos. Pero, si esta es tu forma de ocultarnos de los demás, la subscribo por completo.

—Pues no te apartes de mí, preciosa —dijo—. Nadie nos alcanzará, y te prometo que te daré los mejores días de tu vida.

—Sí, pero…

Grant esperó a que Tessa terminara la frase, pero se limitó a sacudir la cabeza y apoyársela en el hombro. Temblaba ligeramente.

—Veo que he cometido un error. Estaba tan ocupado con la organización de nuestro pequeño baile privado que no me di cuenta de que ese vestido no abriga nada.

—Entonces, tendrás que inventarte algo para que entre en calor…

Grant la miró con intensidad. Tessa se comportaba de un modo tan sexy e inocente al mismo tiempo que no sabía qué hacer. Pero, al fin y al cabo, estaba allí por eso: para descubrir el alcance real de sus sentimientos; para asegurarse de que, efectivamente, se había enamorado y, por último, para averiguar si estaba dispuesta a formar parte de su vida.

¿Cómo podía ser tan perfecto? ¿Y qué iba a hacer cuando llegara el momento de despedirse? Grant Carter le gustaba tanto que no imaginaba una vida sin él. Estaba bailando con él, en plena montaña y bajo un cielo cuajado de estrellas. Y no iba a permitir que nada se lo arruinase. Empezando por el aire frío de la noche.

–No puedo dejar de acariciarte –dijo él con voz ronca–. Eres tan sensual, y estás tan bella con ese vestido… No sabes cuánto te deseo.

Tessa sonrió contra su pecho. Estaba profundamente enamorada de él, y más que dispuesta a disfrutar de la fantasía que le había regalado. Así que respiró hondo, dio un paso atrás, se bajó la cremallera del vestido y dejó que cayera a sus pies.

Grant le lanzó una mirada hambrienta que la estremeció.

–Me gustan las mujeres decididas…

–Siempre me siento bella cuando estoy contigo –le confesó–. Hace que me sienta como si no hubiera otra mujer en el mundo.

Grant llevó las manos a su cintura.

–Será porque eres la única mujer de mi mundo.

Grant la tumbó entonces en el sofá del jardín y le hizo el amor bajo las estrellas.

Capítulo Once

Tessa se giró en la cama y descubrió que estaba sola. Según el reloj de la mesita de noche, faltaban pocos minutos para la una de la madrugada.

¿Dónde se habría metido Grant?

Alcanzó la colcha, se lo puso sobre los hombros y cruzó la suite. Una de las puertas correderas estaba ligeramente entreabierta y, cuando se asomó, vio que Grant estaba apoyado en la barandilla del balcón, a la luz de la luna.

Tessa no supo qué hacer. Ardía en deseos de salir, pero cabía la posibilidad de que quisiera estar solo. Quizás había salido para poder pensar.

Ya estaba a punto de volver sobre sus pasos cuando Grant dijo:

–Quédate.

Tessa se cerró un poco más la colcha, caminó hacia él y se detuvo a su lado. Estaba extrañamente serio, y su expresión era de angustia.

–¿Has tenido otra pesadilla?

Grant no se giró. Siguió con la mirada perdida en alguna parte. Y Tessa se mantuvo en silencio, pensando que no quería hablar.

–Mi hermana está paralizada de cintura para arriba. Por mi culpa.

Tessa frunció el ceño.

–¿Cómo?

–A Melanie le encantaban los caballos. Le gustaban tanto que, de niña, llevaba botas de montar hasta con el pijama... así que dimos clases de equitación, y éramos bastante buenos. Yo lo dejé más tarde porque me empezaron a interesar otras cosas, como las chicas. Pero ella siguió con la equitación, y yo la apoyaba en todo lo que hacía. Nos llevábamos muy bien.

Tessa notó que los ojos se le habían humedecido, y se le hizo un nudo en la garganta.

—Un día, la acompañé al granero. Estábamos en Kentucky. Ya habíamos salido del instituto, y Tessa se disponía a entrar en la academia de equitación. Yo pensaba ir a Los Ángeles y estudiar cine.

Ella guardó silencio. No lo quería interrumpir.

—Le destrocé la vida, Tessa... La desafié a una carrera aunque sabía que su caballo nuevo era demasiado nervioso. Y no pude hacer nada. Melanie se puso a gritar, intentando recuperar el control de su montura, pero se encabritó y... Dios mío. No me puedo quitar esa imagen de la cabeza.

Tessa le puso una mano en el hombro, para animarlo a seguir.

—Cayó de espaldas. Se dio un golpe terrible y, cuando llegué a su lado, hice lo posible por ayudarla. Pero supongo que solo empeoré las cosas.

—Oh, Grant...

—Ahora ya sabes por qué me asustan los establos y por qué me asusté tanto cuando te caíste. No soportaría otra situación como esa.

—¿Y qué piensa tu hermana de que estés rodando una película sobre el mundo de los caballos?

Grant se encogió de hombros.

—No lo sé —respondió con amargura—. No he hablado con Melanie desde que me fui a Los Ángeles. Después del accidente, se sometió a una serie de operaciones y de terapias, pero los médicos le advirtieron que había pocas posibilidades de que volviera a caminar. Yo me quedé un par de meses en Kentucky, pero no lo soportaba. Me sentía tan culpable que ni siquiera la podía mirar a los ojos... Se lo quité todo, Tessa. Lo perdió todo. Por mi culpa.

—¿No crees que le hiciste más daño con tu ausencia? Es tu hermana gemela, ¿no? Seguro que teníais una relación muy especial.

—Sí, la teníamos.

—¿Y piensas que te ha dejado de querer porque ahora está condenada a una silla de ruedas?

—Puede que no, pero debería odiarme.

Grant se apartó de ella, como si no quisiera hablar más.

—Grant, no estás solo. No te encierres en ti mismo. Habla conmigo. Además, no me habrías confesado eso si no tuvieras una buena razón... Deja que te ayude.

—¿Ayudarme? ¿Cómo podrías ayudarme? Le destrocé la vida, y solo te lo estoy contando porque quiero que conozcas el lado más dañado y feo de Grant Carter —dijo con vehemencia—. Quiero que sepas de mis temores, y que seas consciente de que están directamente relacionados con el tu mundo, el mundo de los caballos. He intentado distanciarme de él; pero, cuanto más tiempo estoy contigo, más se acerca a mí. Y, sinceramente, estoy aterrorizado.

Tessa comprendió al fin por qué se había mostrado tan críptico en lo tocante a su vida y sus sentimientos. Había sufrido un trauma terrible. Pero, por otra parte, acababa de dar un paso fundamental: reconocer el problema en voz alta.

—Solo fue un accidente, Grant. Cosas que pasan. Le ocurre a todo el mundo, todo el tiempo —dijo—.

Yo misma podría terminar en una silla de ruedas sin necesidad de caerme de un caballo... Bastaría con tropezar en una escalera o sufrir un accidente de coche –argumentó–. No permitas que el miedo te controle. Ya te ha complicado bastante la vida.

–Sí, lo que dices es cierto, pero eso no cambia el hecho de que el accidente fue culpa mía. –Grant se pasó una mano por el pelo, desesperado–. Necesitaba que lo supieras, Tessa. Ya no podía mantenerlo en secreto... No contigo.

–¿Y por qué me lo has contado ahora?

Él se acercó y le puso las manos en las mejillas.

–Porque me he enamorado de ti.

A Tessa se le encogió el corazón.

–¿Estás hablando en serio?

Grant sonrió débilmente.

–Claro que sí. Pero necesitaba que supieras lo que me pasa. El mundo en el que te mueves me asusta tanto que, a veces, no lo puedo soportar.

–Quizá te sentirías mejor si hablaras con tu hermana –observó Tessa–. ¿Qué piensan tus padres?

–¿Mis padres? Llevan años intentando que vuelva a casa, pero siempre me las arreglo para que sean ellos los que vengan a verme a mí. No sé si sería capaz de mirar a Melanie a los ojos.

–¿Y si yo te acompaño?

Grant la miró con sorpresa.

–No, no... No te voy a meter en esto.

–Tú no me meterías en nada –dijo con una sonrisa–. Lo haría por mi propia voluntad. ¿Sabes por qué?

–No.

–Porque yo también estoy enamorada de ti.

Él le dio un beso en los labios.

–Lo sé. Lo supe cuando te presentaste en mi cabaña con intención de seducirme. Conociéndote, sabía que no habrías hecho eso si no hubieras estado enamorada de mí.

–Pues no será porque no haya hecho verdaderos esfuerzos por negar que te quería... Pero no ha servido de nada. El amor es una emoción demasiado intensa. No imaginaba que pudiera ser tan dictatorial.

–¿Y qué vamos a hacer? –preguntó, frunciendo el ceño–. Si lo hacemos público durante el rodaje, perdería mi empleo. Además, yo vivo en Los Ángeles y tú, en Stony Ridge.

Tessa asintió.

–Sí, tendremos que afrontar algunos obstáculos. Pero los superaremos.

Grant la abrazó, y ella intentó relajarse. Había dicho la verdad. No sabía cómo, pero solucionarían sus problemas. Era un asunto demasiado importante como para rendirse.

–No te preocupes, Tessa. Encontraremos la forma.

Tessa se aferró a él y a la promesa de un futuro juntos. Porque nunca había estado enamorada, y era un territorio tan desconocido para ella que le daba miedo.

A Tessa le habría gustado que el fin de semana durara eternamente, pero tenían que volver al trabajo. Y, en cierto sentido, le alegró: cuanto antes terminara el rodaje de la película, antes podrían hacer pública su relación.

Por primera vez en su vida, estaba segura de haber elegido al hombre adecuado. De hecho, no dejaba de pensar que, si su madre hubiera estado con ellos, le habría dado su aprobación. Pero, desgraciadamente, Rose ya no podía compartir su felicidad.

—¿Volveremos otra vez a la montaña? —preguntó Tessa mientras se dirigían al coche.

—Cuando quieras, cariño.

Aquel día no estaban solos. Cassie se había prestado a pasar a recogerlos, y estaba sentada al volante. Todos creían que Tessa se había ido a casa de una amiga, pero las dos hermanas eran conscientes de que había una persona que no se habría creído esa explicación: Damon Barrington. Era demasiado astuto.

—Veo que os lo habéis pasado bien… —dijo Cassie—. Pero me alegra que vuelvas a Stony Ridge.

—¿Por qué lo dices? ¿Es que ha pasado algo? —dijo Tessa mientras Grant guardaba el equipaje en el maletero.

Cassie se había puesto unas gafas de sol oscuras, así que no le podía ver los ojos ni adivinar lo que estaba pensando.

—Aaron ha llamado.

Tessa se quedó helada.

—¿El exnovio? —preguntó Grant.

Cassie asintió.

—Sí. Me dijo que te niegas a responder a sus llamadas.

—¿Y qué le dijiste tú?

—Que tenías mucho trabajo y que…

—¿Sí?

—No lo pude evitar, Tessa. Le dije que estabas saliendo con un hombre.

—Maldita sea, Cass…

—¿Mencionaste mi nombre? —se interesó él.

Cassie sacudió la cabeza.

–No, no se lo he dicho a nadie.

Grant le acarició la espalda a Tessa.

–Entonces, no pasa nada. Si ese tipo no sabe quién soy yo, no podrá hacer ningún daño. Y, de paso, el desliz servirá para que deje en paz a Tessa. Así sabrá que no está disponible.

Tessa subió al coche.

–Hace mucho tiempo que no estoy disponible para él. Tuvo su oportunidad y la perdió.

Grant se sentó a su lado y le dio un beso en los labios.

–Bueno, con un poco de suerte, no te volverá a molestar.

Cassie arrancó y tomó el camino que llevaba a la carretera principal.

Los minutos siguientes se dedicaron a hablar de la carrera de Louisville y de la estrategia más adecuada. Tessa estaba deseando que llegara el momento de colocarse con Don Pedro en la línea de salida, y parecía convencida de la victoria.

En determinado momento, Grant comentó:

–Me encantan los nombres sacados de obras de Shakespeare.

–A nosotras también, como ya sabes. Pero tenemos una pequeña diferencia de criterios. Ella es más pesimista que yo con los nombres que elige. De lo contrario, no habría llamado Macduff a su nuevo caballo.

Cassie rompió a reír.

–Eso es verdad. Puede que Macduff sea el héroe de *Macbeth*; pero, al final, también es un asesino.

Grant rio.

–¿Me estáis diciendo que Tessa es la romántica y tú la cínica?

–No, cínica no. Solo realista –se defendió Cassie.

Cuando llegaron al rancho, Cassie se dirigió a la propiedad de Tessa para dejarla allí y que se pudiera despedir de Grant sin que los vieran juntos. Tessa le dio un beso en los labios y, a continuación, susurró:

–Te veré esta noche, en mi dormitorio.

–De acuerdo. Pero deja abierta la puerta de atrás…

Tessa bajó del coche, sacó su equipaje del maletero y se despidió. Después, buscó las llaves de la casa y entró. Estaba tan contenta que no dejaba de sonreír.

Pero la sonrisa se le congeló en los labios.

–Hola, Tessa.

Era Aaron. Estaba sentado en el sofá del salón, aunque se levantó enseguida.

–¿Qué estás haciendo aquí? –preguntó ella.

–He venido a verte –dijo con toda tranquilidad, como si fuera la más normal de las visitas–. No contestabas a mis llamadas, así que decidí pasarme por aquí. Cassie me dijo que has seguido con tu vida, pero no me preocupó demasiado. Estaba seguro de que, cuando te viera y te pidiera perdón por lo que pasó, comprenderías que estamos hechos el uno para el otro.

Tessa soltó una carcajada.

–Pues te has equivocado. De hecho, ahora te odio más que nunca… ¿Cómo diablos has entrado en mi casa? –exigió saber.

–No ha sido difícil. He usado la llave que siempre escondes afuera.

Tessa se maldijo para sus adentros. Jamás habría imaginado que Aaron la utilizaría para entrar.

–Márchate de aquí. Estás perdiendo el tiempo.

–¿Por qué? ¿Porque te has encaprichado del famoso Grant Carter?

Tessa se estremeció. Aaron conocía su nombre, y estaba segura de que lo usaría en su contra.

—Eso no es asunto tuyo. Márchate, o llamaré a la policía y te denunciaré por allanamiento de morada.

Aaron se acercó y le acarició una mejilla. Ella retrocedió en el acto.

—Cometí un error, Tessa. Sé que te utilicé y que te hice daño...

—Sí, es verdad, me utilizaste. Pero eso forma parte del pasado. Y ahora, márchate de una vez. Tengo mucho trabajo.

Aaron la abrazó de repente y la apretó contra su pecho.

—¿Crees que me voy a ir? Eres mía, Tessa.

—¡Suéltame ahora mismo!

—¿Es que no soy suficientemente bueno para la princesita de los Barrington? Cuando te pedí que te vinieras a vivir conmigo, me dijiste que odiabas la ciudad.... Pero estás saliendo con un hombre de ciudad —le recordó—. ¿Qué crees? ¿Que se va a quedar contigo, en el rancho?

Tessa no dijo nada.

—Ese hombre es un seductor, Tessa. Tiene fama de mujeriego.

—Pero no me ha utilizado como tú.

Aaron le apretó un brazo con fuerza y la empujó.

—Te arrepentirás de haberme rechazado. Te prometo que te arrepentirás.

Aaron dio medio vuelta y salió de la casa, dejándola completamente aterrorizada. Tessa se frotó el brazo. Le había apretado con tanta fuerza que le dolía. Pero eso no le preocupaba tanto como la carrera de Grant. Aaron sabía quién era y, si se lo contaba a alguien, lograría que lo echaran de la industria cinematográfica.

Grant se llevó una sorpresa cuando vio que la puerta trasera estaba cerrada. Sabía que llegaba más tarde de lo normal, pero le había prometido que iría. ¿Se habría acostado? ¿Habría olvidado la cita?

Estaba a punto de llamarla por teléfono cuando Tessa apareció de repente y abrió.

–Lo siento. Estaba mirando por la ventana; pero como es de noche y vas vestido de negro, no te he visto –explicó.

–Creí que la dejarías abierta…

–Prefiero que esté cerrada durante el rodaje. El mundo está lleno de locos.

Ella cruzó los brazos y apartó la mirada. Grant dio un paso adelante y preguntó:

–¿Ha pasado algo, Tessa?

–No, nada… –mintió–. Es simple cautela.

Grant le puso las manos en los hombros.

–Trabajo en un mundo donde te pagan por mentir, y te aseguro que tú no ganarías un premio como mentirosa. ¿Qué ha pasado? –insistió.

–Es Aaron. Estaba en mi casa cuando llegué.

–¿Qué? ¿Por qué no me lo habías dicho?

Tessa se encogió de hombros.

–Porque habrías venido inmediatamente, y tenía miedo de que siguiera en la zona y aprovechara para sacar fotografías con las que poder extorsionarte. O que provocara algún tipo de conflicto.

–Me da igual lo que ese hombre haga, Tessa. Tendrías que haberme llamado. –Grant frunció el ceño–. ¿Cómo pudo entrar en la casa?

–Por lo visto, utilizó la llave que tengo escondida en el exterior.

152

Tessa encendió una lámpara y se sentó en el sofá del salón. Grant se acomodó enfrente de ella.

—¿Y qué te ha dicho?

—Que cometió un error y que quiere que vuelva con él. Pero eso no es lo importante… Sabe que estamos juntos, Grant.

Él maldijo en voz alta y se pasó una mano por el pelo.

—Bueno, no es tan grave como parece. Si dice algo, diremos que miente por celos.

—Lo siento mucho, Grant. No imaginaba que esto pasara…

—Lo sé, Tessa.

Grant se dijo que hablaría con Bronson y Anthony y se lo explicaría todo. Pensándolo bien, era lo mejor. Se había enamorado de Tessa, y estaba harto de tener que ocultarlo. Además, no era justo para ella ni para la relación que mantenían.

Notó que Tessa tenía unos moretones en el brazo.

—¿Cómo te has hecho eso? —quiso saber.

—Aaron se enfadó cuando le pedí que se marchara.

Grant se levantó de un salto, rojo de ira.

—¿Te pegó?

—No, no me pegó. Me agarró por los brazos y yo le amenacé con llamar a la policía, así que se fue.

Grant suspiró y se sentó a su lado.

—Tendrías que haberme llamado inmediatamente. Habría solucionado el problema de un puñetazo.

—No habrías solucionado nada. De momento, Aaron no tiene ninguna prueba de que estemos juntos. Pero, si hubieras intervenido, habría sido tanto como admitir que está en lo cierto.

—Eso me da igual, Tessa. —Grant le acarició la mejilla—. Tú eres lo único importante.

–No te preocupes por mí. Estoy bien… Además, Aaron no va a volver. Y si intenta extorsionarme, lo afrontaremos juntos.

Grant sacudió la cabeza.

–De todas formas…

Ella le puso un dedo en los labios para que se callara.

–¿Vas a seguir hablando toda la noche, Grant? ¿O vas a llevarme a la cama?

Grant rompió a reír.

–Dios mío, he creado un monstruo…

–Un monstruo que te encanta –le recordó.

Grant pensó que era cierto. Le encantaba. Pero también pensó que, si Aaron se ponía a su alcance, le daría una buena lección. No iba a permitir que ningún hombre abusara de Tessa.

El derbi de Kentucky era la carrera más prestigiosa del país. Y Tessa estaba decidida a ganarla. Llevaba mucho tiempo preparándose para ese momento. Había seguido los pasos de su padre y se había esforzado al máximo porque quería ser la primera mujer que se alzaba con la victoria.

–Hace un día precioso para correr –dijo Cassie mientras tiraba de Don Pedro–. Y sé que vas a ganar.

Tessa asintió y miró a los espectadores, que reían, bebían y apostaban. Siempre le había gustado el ambiente de los hipódromos. Había algo mágico en ellos, y quería llevarse una parte de esa magia. En forma de trofeo, como su padre.

–Estoy orgulloso de vosotras –intervino Damon–. No sé qué pasará hoy, pero eso no va a cambiar. Y sé que vuestra madre también estaría orgullosa.

Tessa no quería emocionarse. No quería pensar

en el hecho de que su madre no estaba allí para compartir ese momento, de modo que alzó la cabeza y se intentó concentrar en la brisa y la luz del sol. Cassie no había exagerado. Hacía un día precioso.

Cuando llegó a la línea de salida, se limitó a sonreír a los jinetes que tenía más cerca. La comunidad hípica era como una gran familia donde todos se llevaban más o menos bien.

Tessa sostuvo las riendas con una mano y dio una palmadita a Don Pedro con la otra. El espectáculo estaba a punto de empezar.

Tessa y Don Pedro se vieron inmediatamente rodeados por una multitud de periodistas y cámaras.

Grant había decidido hablar con Bronson y Anthony y contarles la verdad, pensó que sería mejor que hablara pronto con ellos. No se podía arriesgar a que Aaron se fuera de la lengua y se enteraran por él o por otra persona. Estaba seguro de que Bronson y Anthony lo entenderían perfectamente.

Pero tendrían que decírselo a Marty. Y él no sería tan comprensivo.

Tessa ya había llegado a su casa de Louisville cuando Grant llamó a su puerta. Estaba ansioso por hablar con ella y decirle lo que había decidido.

–Hola, Grant… –dijo al verlo, muy seria–. Te he estado esperando después de la carrera.

A Grant no le sorprendió su brusquedad. Sabía que estaría enfadada con él.

–Lo siento, Tessa –se disculpó–. Había mucha gente y preferí dejar nuestro encuentro para más tarde. Tengo algo importante que decirte.

Ella dio media vuelta, alcanzó una bolsa con hielo y se sentó en el sofá.

–¿Qué te ha pasado?

Tessa se puso el hielo en el costado.

–Que he sido descuidada… Estaba en las caballerizas cuando Nash se ha puesto a limpiar a Don Pedro. Yo he pasado por detrás de otro caballo y me ha dado una coz –dijo–. Ha sido culpa mía, por tener la cabeza en otras cosas.

–Déjame ver.

–No es nada… –protestó.

Grant hizo caso omiso de sus protestas y le desabrochó los botones de la blusa. Tenía un cardenal enorme.

–Espero que hayas ido al hospital, porque tiene mal aspecto.

Ella lo miró con exasperación.

–Por supuesto que he ido. Me han hecho una radiografía, y solo son unas fisuras sin importancia en dos costillas.

–¿Unas fisuras sin importancia? –bramó Grant, que le volvió a abrochar los botones–. Por Dios, Tessa… Esas fisuras te podrían salir muy caras.

Tessa frunció el ceño.

–¿Se puede saber qué te pasa? Ya te he dicho que me encuentro bien. No es importante… Se curarán.

Él se puso a caminar de un lado a otro, intentando encontrar las palabras adecuadas. Había ido a su casa para decirle que estaba dispuesto a dejar la película con tal de estar con ella; pero su accidente en los establos le había recordado el suceso más doloroso de su vida. ¿Seria capaz de vivir con aquella mujer sabiendo que se arriesgaba constantemente a terminar como Melanie?

–Lo siento, Tessa, pero no puedo con esto. No soporto que te hagas daño. Me aterra que acabes como mi hermana.

156

–Vamos, Grant… Creía que lo estabas superando –dijo–. ¿Te has puesto en contacto con ella, como te pedí?

Grant sacudió la cabeza.

–No, pero te prometo que la llamaré.

Tessa se levantó con sumo cuidado, poniéndose el hielo contra la piel.

–Eres un cobarde, Grant Carter. Haz lo que quieras, pero no podremos mantener una relación hasta que afrontes tus miedos. No quiero estar con un hombre que no soporta mi forma de vivir.

Grant comprendía que estuviera enfadada con él. De hecho, él también estaba enfadado consigo mismo. Había ido a su casa para decirle una cosa y había terminado por decir una muy diferente, sin más motivo que un temor irracional.

–Haría cualquier cosa por nuestra relación –continuó ella–. Incluso estaría dispuesta a renunciar a mi carrera si fuera necesario. Y renunciaría por ti, Grant, porque creo en nosotros. Pero tienes que hablar con tu hermana.

Grant intentó acercarse a Tessa, que retrocedió.

–No, no intentes suavizar las cosas… Es obvio que no estás preparado.

Él se metió las manos en los bolsillos.

–Puede que tengas razón. No puedo estar contigo en estas circunstancias.

–Por supuesto que tengo razón –replicó–. No puedes estar conmigo hasta que decidas que nuestro amor es más importante que tus miedos.

Tessa le lanzó una mirada y, antes de marcharse del salón, dijo:

–Cierra la puerta al salir.

Grant se quedó tan solo como profundamente deprimido. Y, en ese momento, comprendió que debía hacer algo al respecto. Había roto la relación con su hermana por su incapacidad para afrontar el pasado, y se arriesgaba a perder a Tessa por el mismo motivo.

Pero eso iba a cambiar. Hablaría con Melanie y solucionaría sus problemas.

Capítulo Doce

Ya no podía volver atrás. Tras años y años de evitar la confrontación, Grant sabía que no había ningún sitio donde esconderse. Había viajado de un lado a otro, se había ahogado a sí mismo en montañas de trabajo y no había servido de nada.

Sus temores lo habían devuelto al punto de partida, a una pequeña localidad de Kentucky. Y ahora estaba delante de la casa de su hermana.

Sus padres se habían ofrecido a acompañarlo, pero prefería hablar con Melanie a solas. Se disponía a llamar al timbre cuando la puerta se abrió.

–¿Quieres hablar conmigo? ¿O has cambiado de idea?

Melanie estaba en su silla de ruedas, con el pelo suelto y, para sorpresa de Grant, sonreía.

–¿Y bien? ¿No vas a pasar…?

Él tragó saliva, asintió y entró en la casa. Era grande y con pocos muebles; perfecta para deambular en silla de ruedas.

–Papá me ha dicho que te pasarías por aquí –dijo ella con inseguridad–. ¿Quieres que pasemos al salón?

Grant la miró con angustia.

–Esto es tan difícil… Si quieres que me vaya, me iré.

–No quiero que te vayas. Quiero que te quedes. He echado mucho de menos a mi hermano pequeño…

Él sonrió.

–Solo me sacas doce minutos…

Ella cruzó el salón y se detuvo junto al sofá, donde Grant se sentó un segundo después.

–No sé por dónde empezar, Mel.

Grant le besó la mano, emocionado. Melanie le acarició la mejilla con los ojos llenos de lágrimas.

–Deja de castigarte por lo que pasó, Grant. No fue culpa tuya.

–No me defiendas, por favor. Solo merezco tu desprecio. Te condené a una vida en silla de ruedas. Te lo robé todo. Destrocé todos los sueños que tenías.

Ella sacudió la cabeza y sonrió con dulzura.

–Tú no me robaste nada. Reconozco que, al principio, fue difícil. Y sobra decir que preferiría caminar… Pero estoy contenta con mi vida.

Grant se arrodilló delante de su hermana.

–Haría cualquier cosa por devolverte la movilidad. Pero no te la puedo devolver… y, cada vez que pienso en lo que perdiste, me desespero.

–Oh, Grant… Estar en una silla de ruedas es muy poca cosa en comparación con perder a mi propio hermano. Sé que te sientes culpable por lo que pasó, y no sabes cuánto he sufrido por ti. Pero no fue culpa tuya, ni yo te he culpado nunca.

–Lo se, Mel. Y no voy a seguir huyendo –le prometió–. No sé si merezco formar parte de tu vida, pero si me lo permites… si me das una oportunidad…

Él cerró los ojos y ella le dio un beso en la frente.

–Por supuesto que te la doy. Te he estado esperando todo este tiempo. Esperando que volvieras…

Grant alzó la cabeza y la miró.

–Te quiero, Melanie.

–Lo sé. Pero, si vuelves a huir, te prometo que acabaré contigo.

Grant soltó una carcajada, se incorporó y se volvió a sentar a su lado.

–Y ahora, háblame de esa película que estás rodando. Pero, sobre todo, háblame de la mujer que tanto te gusta.

–¿Cómo sabes que…?

–Vamos, Grant –lo interrumpió–. Si no hubiera una mujer de por medio, no te habrías quedado tanto tiempo en un rancho lleno de caballos. Estoy deseando que me la presentes.

–Y yo deseando presentártela.

Grant se puso a hablar de la película, convencido de que se había ganado un espacio en el corazón de su hermana. Si es que lo había llegado a perder.

Tessa llevaba varios días sin ver a Grant. Su coche había desaparecido, y no parecía que estuviera en su cabaña. Así que, al final, se cansó de esperar y se dirigió a la casa de su padre para hablar con Bronson o Anthony. Sabía que aquella mañana iban a rodar una escena en el salón.

Como de costumbre, entró por la puerta trasera. Linda estaba sacando un pan del horno.

–Huele maravillosamente bien…

–Gracias –dijo la cocinera–. Pero, ¿dónde se ha metido tu productor? No lo he visto desde que os fuisteis a Kentucky.

Tessa se encogió de hombros y se limitó a preguntar:

–¿Has visto a Bronson o a Anthony?

–Creo que Bronson está con Damon en el salón –dijo–. ¿Quieres probar el pan? Si quieres, será mejor que te des prisa… Los chicos del equipo están a punto de llegar y comen como un regimiento.

Tessa rio.

–Puede que quiera más tarde. Ahora tengo que hablar con una persona.

Segundos más tarde, descubrió que Bronson estaba efectivamente en el salón. Y Tessa se llevó una alegría cuando vio que Damon se había marchado. No quería hablar de Grant delante de su padre.

–Hola, Bronson… ¿Me concedes un minuto de tu tiempo?

–Faltaría más –contestó con una sonrisa–. ¿Qué puedo hacer por ti?

–¿Tienes idea de dónde está Grant?

Bronson frunció el ceño.

–No me digas que no lo sabes…

–¿A qué te refieres?

–Creía que todo el mundo estaba informado. Grant ha presentado su dimisión.

–¿Su dimisión? ¿Por qué? –preguntó, atónita.

–Por la famosa cláusula de su contrato. Y, sinceramente, no me extraña que la violara… Está muy enamorado de ti, ¿sabes? Se presentó el día después de la carrera, habló con Anthony y conmigo y, a continuación, llamó a Marty Russo y le dijo que había violado el código de conducta.

–Entonces, os lo dijo él, ¿no os enterasteis por otra persona?

–Bueno, un tal Aaron Souders llamó a mi secretaria y le dijo que tenía una información sobre Grant que pensaba filtrar a los periódicos. Yo supuse que sería algo relacionado contigo, pero me enteré por el propio Grant. Y es una verdadera pena… ha tenido que pasar justo ahora, cuando se disponía a abrir su propia productora.

–¿Su propia productora?

Bronson la miró con intensidad.

–Veo que tampoco lo sabías… Marty se iba a asociar con Grant, y dudo que su oferta siga en pie después de lo que ha pasado.

Tessa estaba tan confundida que no sabía qué decir, pero intentó reaccionar.

–¿Y dónde está ahora?

–¿Grant? –Bronson se encogió de hombros–. No sé, dijo algo sobre volver a casa y afrontar el pasado. Solo sé que Anthony y yo vamos a hablar con Marty para intentar arreglar las cosas. Grant es un gran profesional, y lo necesitamos.

–Pero la cláusula…

Bronson volvió a sonreír.

–Esa cláusula estaba pensada para el antiguo Grant, pero mi querido amigo ha cambiado. Ahora solo tiene ojos para una mujer. Para ti.

Tessa tuvo una idea. Y necesitaba que Bronson le echara una mano. Si Grant era capaz de renunciar a todo para salvar su relación, ella sería más que capaz de dar un paso adelante y alcanzar lo que quería.

–¿Me puedes hacer un favor?

–Por supuesto.

–¿Tienes el teléfono de Grant?

Grant no podía creer que estuviera de vuelta en Stony Ridge. Había pasado dos semanas con Melanie y con sus padres, que lo habían recibido con los brazos abiertos. Pero la vida le deparó una nueva sorpresa cuando, un día, Marty lo llamó por teléfono y le pidió que volviera al rancho. Por lo visto, Bronson y Anthony habían salido en su defensa y le habían dicho que estaba enamorado de Tessa.

Pero la vuelta no pudo ser más dura. Creía ver a Tessa en todas partes, desde las caballerizas hasta la casa donde habían hecho el amor tantas veces. Y aquella noche iba a ser peor: tenían que rodar una escena en la cabaña de la laguna, y Bronson le había pedido que llegara antes para ayudar a instalar los focos.

No podía imaginar lo que le esperaba.

–Vaya, por fin llegas…

Grant se quedó perplejo. Tessa estaba sentada en la cama, con el vestido azul que le había regalado.

–¿Qué estás haciendo aquí? Se suponía que…

–¿Que ibais a rodar una escena? –lo interrumpió–. Pues no. Hoy no vas a rodar nada.

Grant cerró la puerta y caminó hacia ella.

–Tenía intención de ponértelo más difícil –continuó Tessa–, pero supongo que ya has sufrido suficiente. Y, por otra parte, me he cansado de jugar.

Él rio y se metió las manos en los bolsillos.

–¿Qué tal con Melanie?

–Mejor de lo que esperaba, la verdad. Es una chica maravillosa. ¿Sabes lo que hace? Se dedica a dar clases de equitación a chicos con discapacidades.

Tessa sonrió de oreja a oreja.

–Me alegra que hablaras con tu hermana. Estoy muy orgullosa de ti. Pero, ¿a qué vino eso de renunciar a tu trabajo?

Él se encogió de hombros.

–Pensé que Aaron se iría de la lengua y decidí adelantarme. Además, era lo más correcto. Un hombre tiene que luchar por lo que quiere.

–¿Y qué quieres?

Grant se detuvo ante ella.

–Lo quiero todo.

–Empezando por la película…

–Sí.

–Y por esa empresa de producción de la que no me habías hablado…

–Sí.

Tessa le puso las manos en el pecho.

–¿Y también me quieres a mí? –preguntó en voz baja.

–Con locura.

Grant se sentó a su lado, le pasó los brazos alrededor del cuerpo y la besó apasionadamente. La había echado mucho de menos, y estaba cansado de esperar.

–Bronson dice que, si nos casamos, la cláusula quedará anulada de inmediato –le informó ella.

Grant sonrió.

–¿En serio? No lo sabía, pero pensaba pedirte matrimonio de todas formas.

–Pues ya lo sabes. De hecho, me he encargado de que lo pongan por escrito. El documento está ahí, sobre la mesa.

Grant soltó una carcajada.

–Oh, Dios mío, siempre serás una obsesa de la planificación…

–Exactamente. Y será mejor que no me dejes otra vez, porque odio que me rompan los planes.

–¿Sabes qué odio yo?

–¿Qué?

–Que lleves tanta ropa encima…

Grant le bajó la cremallera y la ayudó a desnudarse. Momentos después, Tessa estaba completamente desnuda.

–Veamos si lo he entendido… –susurró él mientras la acariciaba–. ¿Me estás diciendo que si, nos casamos, no perderé mi trabajo?

–En efecto. Ya sabes que haría cualquier cosa con tal de que salves tu reputación y tu carrera.

Él la tumbó en la cama.

–Me parece bien, pero yo me voy a casar contigo

porque te quiero con toda mi alma. Las dos últimas semanas han sido un infierno para mí...

Tessa le acarició la mejilla.

–Un infierno que te tenías merecido. Pero al final te has portado bien. Y mereces un premio.

Grant rio y se empezó a quitar la ropa.

BESOS DE PELÍCULA
Jules Bennett

Capítulo Uno

–¡Ay!

Ian Shaffer acababa de entrar en las caballerizas de Stony Ridge cuando una mujer cayó literalmente en sus brazos. Era esbelta y no demasiado alta. Una belleza de larga y sedosa melena roja, con los ojos azules mas interesantes que había visto en su vida.

–¿Te encuentras bien? –le preguntó, sin prisa alguna por soltarla.

Ella le puso una mano en el hombro y empujó con suavidad, pero Ian no se dio por aludido. En parte porque le encantaba el contacto de sus curvas y porque la mujer estaba temblando.

Quizá no supiera nada del mundo de la equitación, pero sabía bastante de mujeres.

–Gracias por salvarme. Si no hubiera sido por ti, me habría pegado un buen golpe.

El sonido dulce y ronco de aquella voz convenció a Ian de que había hecho lo correcto al viajar a Stony Ridge para ocuparse en persona de las necesidades de su cliente. La mayoría de los agentes artísticos se mantenían lejos de los rodajes, pero él tenía dos buenos motivos para estar allí. Quería que Max Ford estuviera contento y, de paso, quería impresionar a Lily Beaumont para que se fijara en él y contratara sus servicios.

Ian miró la escalera de mano que llevaba a la parte superior de las caballerizas y frunció el ceño.

–Será mejor que arregles esa escalera –dijo.

–Sí, ya lo sé, pero nunca encuentro el momento –declaró ella, clavando la vista en sus labios–. Por cierto, ya me puedes soltar…

Ian la encontraba tan tentadora que la soltó más despacio de la cuenta y la miró de arriba abajo con intensidad. Se dijo que solo la inspeccionaba por si se había hecho alguna herida, pero su interés no era precisamente médico.

–¿Te has hecho daño?

–Solo en mi orgullo –contestó–. Pero todavía no nos hemos presentado… Me llamo Cassie. Soy hija de Damon Barrington.

–Encantado de conocerte, Cassie. –Él le estrechó la mano–. Yo soy Ian Shaffer, el agente artístico de Max Ford.

Ian pensó que, si todo salía bien, también sería el representante de Lily. Y, cuando consiguiera ese objetivo, hasta su propio padre se vería obligado a reconocer que era un hombre con éxito cuyo trabajo no consistía en perder el tiempo entre faldas y fiestas. Se había convertido en uno de los agentes artísticos más importantes e influyentes de Los Ángeles.

Por supuesto, las faldas y las fiestas eran un extra de lo más apetitoso; pero Ian disfrutaba más cuando se alejaba del glamour y se acercaba a los rodajes. Por eso tenía tanto éxito. Le ofrecía la posibilidad de conocer mejor a los actores, de mejorar su relación con productores y guionistas y, en consecuencia, de encontrar papeles adecuados para las personas a las que representaba.

El papel de Max era perfecto para él. Iba a interpretar a Damon Barrington, un jinete casi mítico que poseía una de las mejores cuadras del país. Pero también era perfecto para el propio Ian, aunque solo fuera porque le permitía escapar del bullicio de Hollywood y cambiar de aires.

–Ah, Max me comentó que ibas a venir… Siento haberte caído encima. No te he hecho daño, ¿verdad?

Ian se metió las manos en los bolsillos y sonrió.

–No, en absoluto. De hecho, me ha parecido un recibimiento encantador.

Cassie alzó la barbilla con orgullo.

–No suelo ser tan patosa. Ni me suelo arrojar sobre los hombres.

Ian intentó no reír.

–¿En serio? Pues es una pena.

–No me digas que a ti te gusta lanzarte sobre las mujeres…

–No, aunque estaría dispuesto a hacer una excepción contigo.

–Qué afortunada soy –ironizó ella–. En fin, supongo que Max estará en su remolque. No tiene pérdida… Han puesto su nombre en la puerta.

Al parecer, Cassie Barrington ardía en deseos de perderlo de vista. Y a él le pareció espontáneo. Por fin estaba con una mujer a quien no le importaban ni su fama ni su poder ni su dinero. Una mujer que, además, tenía unos ojos azules preciosos y unas curvas que eran un verdadero pecado.

Razón de sobra para quedarse allí.

–Así que eres la adiestradora… –Ian se cruzó de brazos–. La hermana de la famosa jinete.

–Veo que has hecho los deberes. Me asombra que seas capaz de distinguirme de mi hermana y de recordar nuestros respectivos trabajos.

Él hizo caso omiso de su ironía.

–No sería tan bueno en mi profesión si no investigara. Como agente artístico, soy todo un manitas.

171

–Un manitas que pone las manos en todo...

Ian la miró a los ojos y dio un paso hacia ella. No estaba en Stony Ridge para coquetear con desconocidas, sino para fortalecer su posición profesional. Aún no se había recuperado de la traición del antiguo socio que lo había apuñalado metafóricamente por la espalda y le había robado a la mayoría de sus clientes. Necesitaba que Lily Beaumont contratara sus servicios. Pero, ¿cómo concentrarse en el trabajo si la tentación se le presentaba de una forma tan voluptuosa?

–Efectivamente. Pongo las manos en todo –dijo en voz baja–. Si alguna vez sientes el deseo de comprobarlo, dímelo.

Ella volvió a clavar la vista en sus labios, y él estuvo a punto de besarla, pero se frenó. Iban a tener tiempo de sobra para esas cosas. Además, la persecución era lo más divertido de la caza.

–Supongo que sabes dónde me alojo.

Ian salió de los establos sin despedirse, y Cassie se quedó boquiabierta.

No podía estar más contento. Aún no había visto a su cliente y ya se estaba divirtiendo mucho más que en ninguno de los rodajes donde había estado.

Cassie tiró de Macduff con fuerza. Era un purasangre joven y nervioso, aunque estaba trabajando con él y empezaba a portarse mejor. De vez en cuando permitía que su padre lo montara; pero solo porque Damon Barrington tenía un don especial con los caballos.

Al menos, Macduff ya no huía de ella. E incluso estaba cerca de conseguir que entendiera sus órdenes y se dejara llevar.

El trabajo de Cassie era una de las razones que habían malogrado su matrimonio con Derek. Él lo consideraba un capricho, y quería que lo abandonara. Siempre le había disgustado que pasara tantas horas con los animales, pero su actitud empeoró cuando se quedó encinta. Y, puesto a elegir entre su familia y sus vicios, Derek había elegido lo segundo.

Cassie dejó de pensar en su exmarido e intentó concentrarse en su jornada de trabajo, que había empezado de forma extraña: cayendo sobre un hombre con ojos de seductor. Era tan sexy que se habría quedado eternamente entre sus brazos, pero pensó que no podía tropezar dos veces en la misma piedra. Ya había cometido un error imperdonable con otro seductor como Ian Shaffer. Hasta se había casado y había tenido una niña con él, Emily.

Desde entonces, solo lo había visto una vez: el día en que quedaron para firmar los papeles del divorcio. Y la situación no pudo ser más amarga para ella, porque se presentó en compañía de una rubia de las que quitaban el aliento.

Definitivamente, no estaba para aventuras amorosas. Por muy guapo que fuera Ian Shaffer, tenía cosas más importantes que hacer.

Pero eso no impidió que siguiera dando vueltas a lo sucedido. Ian era tan fuerte y tenía un aroma tan viril que, cuando se encontró entre sus brazos, se olvidó hasta de pensar. Además, la había mirado como si estuviera con la mujer más deseable del mundo, lo cual la desconcertó. El embarazo le había dejado un regalo desagradable: varios kilos de más, que ni siquiera habían desaparecido cuando su esposo la abandonó y se marchó con otra mujer.

Sin embargo, a Ian le gustaba su cuerpo. Y, por si eso no le resultara suficientemente atractivo, la había agarrado con tanta facilidad como si sostuviera una pluma.

En cualquier caso, no podía perder el tiempo con otro guaperas de ojos intensos y cuerpo escultural. Estaba demasiado ocupada con las carreras de Tessa, que intentaba ganar la Triple Corona. Siempre habían trabajado juntas, y siempre habían soñado con conquistar el mismo premio que había hecho famoso a Damon Barrington. Un premio que estaban a punto de conseguir.

Pero eso no era todo.

Cassie se disponía a abrir su propia escuela de equitación para niños con discapacidades. Solo tenía que ahorrar un poco más, porque no quería pedir dinero a la familia. Y, por otra parte, estaba entusiasmada con la película que habían empezado a rodar. De repente, el rancho se había llenado de técnicos, extras y estrellas de Hollywood como Max Ford y Lily Beaumont, los actores que interpretaban el papel de sus padres. Eran unos profesionales magníficos, y actuaban tan bien que ardía en deseos de ver el resultado final.

–¿Ya estás con tus ensoñaciones?

Cassie se giró al oír la voz de su hermana, que se acercó lentamente para no asustar a Macduff.

–Sí, supongo que sí… –admitió–. Dame unos minutos más y nos pondremos a trabajar.

–No, prefiero que me cuentes por qué estás tan distraída esta mañana…

Cassie arqueó una ceja y la miró con sorna, como diciéndole que no estaba dispuesta hablar. Luego, tiró de Macduff hacia delante, lo obligó a detenerse y, a continuación, hizo que retrocediera. El caballo acató las órdenes dócilmente.

Por fin estaba aprendiendo.

–Tienes un talento increíble con los animales –dijo Tessa–. Los tratas con tanta paciencia y ternura que terminan por ponerse de tu lado. Parecen creer que solo los quieres ayudar.

–Porque solo los quiero ayudar… Fíjate en Macduff, por ejemplo. Todo el mundo pensaba que era inestable, cuando en realidad era un incomprendido.

–Eso es cierto. Estaba acostumbrado a que le maltrataran. Pero, desde que cayó en tus manos, ha cambiado totalmente de actitud.

Cassie acarició el cuello de Macduff. Cada vez que pensaba que lo habían maltratado, se ponía enferma. Y sabía que lo habían maltratado porque, cuando lo compró, estaba tan nervioso que tiró a la propia Tessa cuando lo intentó montar.

Pero en Stony Ridge trataban bien a los caballos. No solo a los que tenían posibilidades de ganar carreras, sino a todos.

Y Cassie adoraba su trabajo. Siempre había querido ser adiestradora, una profesión que en Estados Unidos había sido tradicionalmente masculina hasta que un hombre se atrevió a contratar a mujeres: Damon Barrington, su padre.

–Por cierto… –continuó Tessa.

–¿Sí?

–No te habrás cruzado esta mañana con cierto tipo que está para chuparse los dedos, ¿verdad?

Cassie miró a su hermana con humor y se puso a cepillar a Macduff.

–¿No se supone que te has comprometido, Tessa?

Tessa se encogió de hombros.

–Estoy comprometida, pero no ciega –contestó–. Y, conociéndote, es obvio que tu negativa a responder significa que lo has visto.

175

Cassie pensó que había hecho algo más que verlo. Se había caído encima de él y había estado a punto de besarlo.

–Venga, admite que es atractivo… –insistió.

Cassie pasó el cepillo por el lomo del caballo.

–Lo admito. De hecho, esta mañana he tenido un pequeño incidente en el que han participado la escalerilla rota y el señor Shaffer.

Tessa se cruzó de brazos y la miró con interés.

–No te hagas de rogar, Cassie… Dime lo que ha pasado.

Cassie soltó una carcajada.

–No hay mucho que decir. Me caí de la escalera, pero Ian estaba allí y me sostuvo.

–Ah, vaya… De repente, ya no es el señor Shaffer, sino Ian.

–No busques cosas donde no las hay. Nos hemos presentado y me ha dicho su nombre –dijo a la defensiva–. Era lo más lógico, teniendo en cuenta que estaba entre sus brazos.

Tessa aplaudió, encantada.

–¿Entre sus brazos? Esta historia se está poniendo de lo más interesante…

Cassie volvió a reír.

–No hay ninguna historia. Me caí, me sostuvo y charlamos un poco.

–Cassie, es la primera vez que llamas a un hombre por su nombre de pila desde que te divorciaste del cretino de Derek. Y, por si eso fuera poco, los ojos se te han iluminado cuando has dicho su nombre.

–No es verdad –protestó.

–Si prefieres negar los hechos, niégalos. Pero es un tipo impresionante, y me alegra que lo hayas notado. Llevas demasiado tiempo sola, Cassie…

Cassie la miró con exasperación.

–Mira, comprendo que estés enamorada, pero no significa que yo también me tenga que enamorar. Ya tuve bastante con mi exmarido. Además, estoy tan ocupada con Emily y los caballos que no tengo tiempo para esas cosas.

–Siempre hay tiempo para esas cosas –le contradijo–. ¿No eres tú quien el mes pasado me obligó a tomarme unos días libres con la excusa de que necesitaba divertirme? Pues tú también necesitas divertirte, Cassie. Y un revolcón con un desconocido sería un divertimento maravilloso…

Cassie no pudo negar la acusación. Efectivamente, había conspirado con Grant Carter, que ahora era el prometido de Tessa, para alejarla del trabajo y del rodaje de la película. Grant quería estar con ella, y Cassie le había ayudado porque creía que necesitaba relajarse.

–No estoy buscando amante –insistió Cassie.

Tessa arqueó una ceja.

–Piénsalo bien. Puede que sea lo que necesitas.

Cassie lo había pensado de sobra. No buscaba una relación pasajera, sino alguien que la amara, que le hiciera sentirse deseable, que quisiera a su hija y que no frunciera el ceño cuando volvía a casa con olor a caballo. Pero, por lo visto, era mucho pedir.

–Por Dios, Tessa… Acabo de conocer a ese hombre. Y dudo que se quede mucho tiempo, así que tus sueños de seducción son absolutamente imposibles.

–Quizás –dijo su hermana, que alcanzó una manta y una silla para su caballo, Don Pedro–. Pero no pierdes nada por enseñarle el rancho…

Cassie suspiró.

–No le voy a enseñar nada. Si quiere ver el rancho, que se lo enseñe Max; trabaja para él.

–Max estará demasiado ocupado con la escena de Lily, la que van a rodar junto a la laguna –dijo Tessa–. De hecho, estoy deseando verla…

Cassie sonrió y asintió. Ella también ardía en deseos de ver la grabación de aquella escena, que era uno de los momentos más importantes de la película: el día en que Damon Barrington pidió matrimonio a Rose, su difunta esposa.

–Yo también la quiero ver, Tessa. Y no podré estar presente si tengo que enseñar el rancho a Ian Shaffer –alegó.

–Pues es una pena…

La voz que sonó no era la de Tessa, sino la del propio Ian, que acababa de entrar en los establos. Las dos hermanas se giraron hacia la puerta, y Cassie volvió a sentir el mismo cosquilleo que había sentido cuando se cayó de la escalera.

Pero, esta vez, no lo pudo achacar al susto. Sabía que era por él.

–Sinceramente, me encantaría que me enseñaras Stony Ridge –continuó él, mirándola a los ojos–. Si tienes tiempo, claro.

Cassie se puso las manos en las caderas, y se arrepintió de haberlo hecho, porque el gesto arrastró la mirada de Ian a esa misma zona.

–¿No tenías que ir a ver a Max? –preguntó Cassie.

–Ya nos hemos visto, aunque ha sido una conversación bastante breve. Estaba hablando con Grant y Lily –le informó.

Cassie miró a su hermana, que contemplaba la escena con una sonrisa pícara en los labios. Entonces, Tessa se acercó a Ian y le estrechó la mano.

–Hola, soy Tessa Barrington, la hermana de Cassie.

–Encantado de conocerte…

Sin dejar de sonreír, Tessa se giró hacia Cassie y dijo:

–Enséñale el rancho. No necesito que te quedes conmigo. Puedo trabajar sola.

Cassie deseó estrangular a su hermana.

–Me temo que ahora mismo es imposible. Tendrá que ser mañana o a última hora de esta tarde –dijo, sin dar su brazo a torcer–. Te pasaré a buscar cuando tenga un momento libre.

–Bueno, será mejor que me vaya –intervino Tessa, que alcanzó las riendas de Don Pedro–. Ha sido un placer, Ian. En cuanto a ti… nos veremos dentro de un rato.

Cassie maldijo a Tessa para sus adentros. Primero, la ponía en un compromiso para que no tuviera más remedio que enseñarle el rancho y, después, la dejaba a solas con él.

Sin embargo, su mal humor se esfumó en cuanto notó el aroma de Ian Shaffer. Olía tan maravillosamente bien que el pensamiento se le quedó en blanco. ¿Cuánto tiempo había pasado desde la última vez que había hecho el amor con un hombre?

No lo pudo recordar. Solo supo que había pasado demasiado tiempo.

–Puedo esperar a mañana –dijo él–. Soy un hombre paciente.

Ian dio un paso adelante y ella le puso una mano en el pecho para detenerlo. Aunque también fue un error, porque le despertó el deseo de acariciarlo.

–Agradezco tus esfuerzos por seducirme, pero no estoy para juegos. Además, sospecho que soy mucho mayor que tú.

Ian se encogió de hombros.

–La edad me importa tan poco que ni siquiera lo había pensado.

Ella rio.

–No, claro que no. Estabas pensando en otras cosas...

Ian dio otro paso adelante y, esta vez, ella retrocedió.

–Eso es cierto. Y, si lo sabes, también sabrás que me gustas –dijo, clavando la mirada en sus labios–. Pero, como decía, soy un hombre paciente. Esperaré.

Ian dio media vuelta y se fue.

Cassie se quedó sumida en la confusión. Hacía mucho que ningún hombre le despertaba un deseo tan intenso.

¿Qué debía hacer? ¿Dejarse llevar?

Tras unos segundos de duda, desestimó la idea y volvió a su trabajo. No quería un amante que ni siquiera se acordaría de su nombre al cabo de unos meses.

Sencillamente, no estaba buscando ese tipo de relación.

Capítulo Dos

Damon y Rose llevaban veinte años juntos cuando ella se mató en un accidente de tráfico. Cassie siempre había admirado su relación. Envidiaba el amor y el respeto que se profesaban, y soñaba con tener una relación como la suya.

Pero no lo había conseguido.

De hecho, se había precipitado al casarse con Derek. Estaba tan ansiosa por imitar a sus padres que eligió mal y terminó con un hombre inadecuado para ella. Y, si se había equivocado tanto con él. ¿Cómo podía volver a confiar en sus propios sentimientos?

El sol se estaba ocultando tras las colinas cuando volvió a las caballerizas. La primavera empezaba a dar paso al verano, y los días eran cada vez más largos.

Acababan de rodar la escena de la laguna, que la había dejado triste y esperanzada a la vez. Max Ford y Lily Beaumont habían hecho un gran trabajo. Obviamente, Cassie había oído muchas historias sobre el día en que su padre le pidió a su madre que se casara con él, pero se emocionó al verlas representadas. Y a Tessa, que estaba junto a ella, le pasó lo mismo.

Además, la magia del momento se combinó con las miradas que Ian le lanzaba de vez en cuando. Miradas intensas, tórridas, que ni siquiera se molestaba en disimular. Miradas que volvieron a despertarle el mismo deseo, aunque se repitiera una y mil veces que no se podía permitir el lujo de dejarse engatusar por unos ojos y un cuerpo arrolladores.

Al entrar en los establos vio la escalerilla rota y se maldijo por no haberse encargado de que la arreglaran. Tenía intención de pedírselo a Nash, el nuevo mozo de cuadra, pero estaba tan ocupado con sus propias obligaciones que le daba cargo de conciencia.

Pensándolo bien, sería mejor que la arreglara ella misma. Así tendría algo que hacer y dejaría de pensar en Ian Shaffer.

Entró en la habitación donde estaba la caja de herramientas y alcanzó el martillo y unos cuantos clavos, que se guardó en el bolsillo trasero del pantalón. Luego, subió hasta el peldaño suelto, lo encajó y se dispuso a clavarlo. La luz de última hora de la tarde daba un tono agradablemente cálido al lugar.

–¿Quieres que te ayude?

Ella giró un poco la cabeza. Ian estaba abajo, mirándola.

–No, gracias. Ya lo hago yo.

Cassie reparó el desperfecto con tanta eficacia como rapidez, intentando no pensar en la presencia de Ian. Cuando terminó, comprobó que el peldaño estaba firme y empezó a bajar. Pero Ian se acercó antes de que llegara al suelo y la rodeó con sus brazos, atrapándola entre su pecho y la escalerilla.

La sensación le gustó tanto que se estremeció de placer.

Desconcertada, tragó saliva y cerró los ojos durante unos segundos. Sus temores habían desaparecido al contacto del cuerpo de Ian y la suave caricia de su aliento en la piel.

¿Qué había de malo en disfrutar del deseo? ¿Qué había de malo en que un hombre la encontrara atractiva? Había estado cuatro años con un hombre que, cuando necesitaba satisfacer sus necesidades sexuales, acudía a otras mujeres. Pero a Ian le gustaba ella.

–¿Qué estás haciendo aquí? –preguntó en voz baja.

–Te he seguido.

–¿Por qué?

–Porque me ha dado la impresión de que te encontrabas mal –contestó–. Parecías triste.

Cassie quiso creer que era sincero, pero se dijo que ningún hombre seguía a una mujer hasta unos establos por el simple hecho de que pareciera triste. Tenía que haberla seguido por otro motivo. Uno para el que aún no estaba preparada.

–Pues estoy bien –mintió.

Él le acarició el cabello con suavidad.

–Eres una mujer preciosa. Hago lo posible por refrenar lo que siento por ti, pero no lo consigo. ¿Qué demonios me has hecho?

Cassie se sintió halagada. Le estaba confesando que tenía poder sobre él, y no estaba acostumbrada a sentirse poderosa.

–Nos acabamos de conocer, Ian…

Ian le pasó una mano por el cuerpo y, a continuación, le quitó el martillo y lo dejó a un lado.

–Además, soy mayor que tú –continuó ella–. Tengo treinta y cuatro años, y no parece que tú llegues ni a los treinta.

Él le dio la vuelta y la miró a los ojos. Entre sus bocas solo había unos milímetros de distancia.

–Tengo veintinueve años, edad más que suficiente para saber lo que se quiere y para luchar por ello.

Ian la besó con tanta pasión que Cassie no tuvo tiempo de pensar ni de rechazar su propio deseo. Se aferró a sus bíceps y respondió del mismo modo hasta que él rompió el contacto para besarla en el cuello. Entonces, ella echó la cabeza hacia atrás y le dejó hacer.

Estaba absolutamente encantada. Todo su cuerpo le pedía más. Pero, a pesar de ello, lo empujó un poco y se apartó.

–No, no puedo… No podemos… –dijo, casi sin aire–. Te acabo de conocer…

–Pero te gusto.

Ella no lo pudo negar.

–Eso no significa que tenga que hacer algo al respecto.

–Pero te gusto –insistió él.

–Aunque así fuera, no me dedico a besar a desconocidos.

–Ya no soy un desconocido –afirmó él, con un destello en sus ojos oscuros–. Dejé de serlo cuando nos presentamos esta mañana.

–¿Y qué? Tu estancia en Stony Ridge es pasajera. Te irás dentro de poco –dijo–. No podemos… tú y yo no podemos…

–¿Hacer el amor? –preguntó, arqueando una ceja.

Ella volvió a tragar saliva, nerviosa. No era una principiante en materia de relaciones sexuales. Había estado casada y había tenido un bebé. Pero, de repente, se sentía como si fuera una tímida jovencita.

–Sí, hacer el amor –contestó–. No suelo permitir que el deseo me gobierne.

Ian sacudió la cabeza.

–Piensas demasiado, Cassie…

Él intentó abrazarla otra vez, pero ella se lo impidió.

–No sigas. No puedo pensar cuando me tocas.

–Vaya… me lo tomaré como un cumplido.

Cassie lo miró con exasperación.

–Sabía que dirías eso…

Ian sonrió.

–¿Lo ves? Me conoces como si lleváramos toda una vida juntos.

Cassie se alejó hacia la puerta de los establos.

–Mantente lejos de mí, Ian –le advirtió.

–No seas tan aburrida…

–Lo siento, pero no tengo tiempo para ese tipo de diversiones.

Como estaba oscureciendo, Cassie pulsó el interruptor de la luz. Las viejas bombillas de las caballerizas se encendieron al instante y destruyeron el ambiente romántico del crepúsculo.

Sin embargo, no sirvió de nada. Cuando Cassie se dio la vuelta, él la miró con más deseo que nunca y, tras acercarse, le puso las manos en las mejillas. Ella ya se había empezado a tranquilizar, pero se excitó de nuevo.

–Una mujer que besa como tú y que responde como tú a mis caricias lleva tanta pasión dentro que se haría daño a sí misma si no le diera salida –dijo–. Tienes que desahogarte. Lo necesitas.

Cassie guardó silencio.

–Ven a verme cuando estés preparada.

Ian se marchó y la dejó a solas con sus pensamientos y con el eco de lo que había despertado en ella.

Si lo deseaba tanto en tan poco tiempo, ¿qué pasaría cuando llevara dos meses en Stony Ridge?

Cassie no se pudo engañar. Era una mujer. Una mujer con necesidades.

Una mujer que empezaba a preguntarse qué pasaría si se dejaba llevar por una vez en su vida y daba prioridad a esas necesidades.

Ian mantuvo las distancias con Cassie durante los dos días siguientes. Sin embargo, ella era más consciente que nunca de su presencia. Lo veía en la distancia, charlando con Max o con otras personas del equipo. Y había estado a punto de encontrarse con él en el rodaje, cuando se acercó a las cámaras para ver una de las escenas.

¿Por qué pensaba constantemente en él? ¿Sería posible que deseara una aventura?

Cassie gimió y se dirigió al edificio principal, la casa de su padre. Faltaba poco para la noche, y supuso que Emily ya estaría dormida. Se había quedado con Tessa y Grant, que se quedaban con ella una vez a la semana.

Se sentía más triste que nunca. La escena de la película le había causado un acceso de nostalgia que no conseguía controlar. Echaba de menos a su difunta madre y, cada vez que veía a Lily en su papel, la extrañaba con más fuerza.

La muerte de Rose había sido terrible para todos. Les había dejado una huella profunda que, en su momento, ni siquiera podían imaginar. Tessa y ella habían sufrido mucho, pero eran muy jóvenes y, además, se tenían la una a la otra, lo cual afianzó notablemente su relación. Sin embargo, el tiempo no borró esa herida. Cassie seguía extrañando la sonrisa de su madre, su paciencia y sus consejos.

Sobre todo ahora, cuando necesitaba el consejo de una madre.

Estaba desesperada. Ian no se le había acercado desde su encuentro en las caballerizas, y Cassie no sabía qué hacer ni qué pensar. ¿Se habría cansado? ¿Habría cambiado de opinión? ¿Habría decidido que el esfuerzo de seducirla no merecía la pena?

Y, en cualquier caso, ¿por qué le preocupaba tanto? Estaba segura de que Ian estaría acostumbrado a salir con mujeres perfectas y de que no querría saber nada de una mujer con algo de sobrepeso. Pero, si eso era verdad, ¿por qué coqueteaba con ella? ¿Qué pretendía?

Cassie sacudió la cabeza, entró en el edificio y subió por la escalera hasta llegar a la puerta del ático, que abrió. Después, encendió la luz y se quedó mirando las cajas donde descansaban las pertenencias de su madre.

En el silencio de la noche, sola con sus recuerdos y sus pensamientos, quitó la tapa de la primera caja y rompió a llorar.

¿Cómo era posible que la vida de una persona tan maravillosa como Rose quedara reducida a unas cuantas cajas guardadas en un ático? Todo su ser había desaparecido. No quedaba nada salvo esos objetos cuidadosamente almacenados.

Cassie sonrió al pensar en ello. Su madre siempre había sido una obsesa de la organización.

Tras encontrarse con unas fotografías del día de su boda, se acordó del vestido de novia y lo empezó a buscar. Tessa tenía intención de ponérselo cuando se casara, e incluso cabía la posibilidad de que el equipo cinematográfico lo utilizara para algunas escenas de Lily, aunque suponía que utilizarían su propio vestuario.

Al cabo de unos minutos, lo localizó. El vestido, de color crema, estaba en el interior de una bolsa blanca que abrió con sumo cuidado, como si tuviera miedo de rasgar la tela. Ella misma había estado a punto de ponérselo en su boda; pero al final desestimó la idea porque Derek quería una ceremonia sencilla e informal, donde no había sitio para prendas llenas de puntillas y bordados.

Incapaz de resistirse, Cassie se quitó las botas, los vaqueros, la camisa y el sostén y se lo puso. Después, se acercó al viejo espejo que estaba en la esquina y se miró. Justo entonces oyó un ruido en la escalera y se dio la vuelta, asustada. Alguien estaba subiendo. Y no tenía tiempo de cambiarse de ropa, de modo que se puso una mano sobre el generoso escote.

Ian entró en el ático y se quedó helado al verla. Cassie no sabía dónde meterse; era como si el destino le estuviera gastando una broma pesada.

–¿Qué estás haciendo aquí? –preguntó, intentando mantener la calma.

–Solo quería disculparme por lo del otro día –dijo, admirando su cuerpo–. No soy de los que se sobrepasan con las mujeres; pero tenía miedo de que me hubieras interpretado mal, así que he decidido venir. A fin de cuentas, voy a estar varias semanas en el rancho. No quiero un ambiente enrarecido.

Ella suspiró.

–Pues me temo que se va a enrarecer…

–¿A qué te refieres?

–A que la puerta se está cerrando sola. Y si se cierra del todo, no podremos salir.

–¿Cómo? –preguntó, perplejo.

–¿Por qué crees que la he dejado abierta de par en par? La cerradura está estropeada, y solo se puede abrir desde fuera.

Cassie no esperó más. Sin quitarse la mano del escote, se agarró la falda del vestido con la otra y corrió hacia la puerta. Pero llegó demasiado tarde. Ya se había cerrado.

188

–Oh, no…

–Discúlpame. No sabía nada –dijo él.

Cassie se giró, admiró sus anchos hombros y su estrecha cintura y supo que se había metido en un buen lío. La mansión era gigantesca, y no tenía más inquilino que su padre, cuyo dormitorio estaba en el primer piso. Por mucho que gritaran, nadie los oiría.

Pero eso no era tan grave como el hecho de haberse quedado encerrada con Ian Shaffer.

Sus miradas se encontraron otra vez, y el ambiente se cargó de electricidad.

¿Qué iba a hacer ahora?

Cassie no lo sabía, pero iba a tener una noche entera para decidir si se rendía a su propio deseo y a la mirada hambrienta de Ian o los rechazaba.

Ian contempló los hombros desnudos de Cassie y las curvas de sus pechos. Era obvio que estaba haciendo esfuerzos por taparse el escote y evitar que el corpiño se le abriera, pero Ian era bastante más alto que ella, y tenía una vista perfecta de aquella dulce tentación.

Para empeorar las cosas, Cassie intentó cruzar los brazos sobre los pechos, pero lo hizo tan mal que aumentó la superficie de piel desnuda y visible.

A Ian le pareció una tortura. ¿Lo estaría haciendo a propósito?

–Envíale un mensaje a Max, por favor. Dile que venga a la mansión y que llame al timbre de la puerta. Mi padre no se habrá acostado todavía.

Ian sacudió la cabeza.

–Lo siento, pero no va a ser posible.

–¿Por qué no?

–Solo venía a disculparme, así que he dejado el teléfono móvil en el remolque. Estaba sin batería y necesitaba cargarlo.

Cassie gimió y cerró los ojos unos segundos.

–No, esto no es posible… –dijo en voz baja–. No puede ser verdad.

Ian no tuvo más opción que sonreír. Había imaginado varias situaciones posibles para su nuevo encuentro con Cassie Barrington, pero jamás se le habría ocurrido que llevaría un vestido de novia y que se quedarían atrapados en el ático de la casa.

Como guion cinematográfico, era terriblemente malo. O terriblemente bueno, según se mirara.

–Borra esa sonrisa de tu cara, Ian –bramó ella–. Esto no tiene ninguna gracia.

Él arqueó una ceja.

–¿Tú tampoco tienes el móvil?

Cassie suspiró.

–No. Precisamente he subido al ático para estar sola.

Ian pensó que estaba muy sexy cuando se enfadaba, pero también pensó que debía mantener las distancias con ella. Cassie Barrington no estaba buscando una aventura, y ya la había presionado más de la cuenta en las caballerizas.

Tenía que hacer lo correcto: ser un caballero y mantener las manos lejos de su piel. Además, no había ido a Stony Ridge para meterse en líos de faldas; había ido porque quería que Max estuviera contento y que Lily contratara sus servicios.

Por desgracia, sus hormonas no estaban de acuerdo con ese plan.

Aquel vestido le quedaba maravillosamente bien. Parecía una *pin-up* de la década de 1950, una de esas chicas que aparecían medio desnudas en carteles y revistas. Era la mujer más sexy que había visto en su vida. Todas sus curvas eran como tenían que ser, sin las tonterías anoréxicas que estaban de moda. Y, con el rubor del enfado, resultaba mucho más apetecible.

Cada vez que la veía, admiraba su exuberante cuerpo y se maldecía a sí mismo por ser incapaz de refrenar su deseo. Pero esas tendencias estaban ganando la batalla. Casi no podía pensar.

—¿Cómo sabías que estaba aquí?

Él se encogió de hombros.

—Me he cruzado con Grant cuando me dirigía a tu cabaña y me ha dicho que estabas en casa de tu padre —contestó.

—¿Y cómo has sabido que había subido al ático?

—Eso ha sido cosa de Linda, vuestra cocinera. Aún no se había ido, y me ha comentado que tenías intención de subir.

Ella frunció el ceño.

—¿Y has venido solo para disculparte? Podrías haber esperado a mañana…

Ian se metió las manos en los bolsillos de los vaqueros.

—Sí, supongo que sí, pero habría habido demasiada gente alrededor… y me ha parecido que no querrías hablar de esto delante de todo el mundo —explicó—. Es importante que tomemos una decisión sobre lo que está pasando entre nosotros. Al fin y al cabo, voy a estar aquí varias semanas.

Cassie volvió a suspirar.

—Está bien, pero… ¿podrías hacerme el favor de darte la vuelta? Así podré quitarme el vestido y ponerme mi ropa.

Él miró las prendas y se excitó un poco más cuando vio que el sostén tenía un estampado de leopardo.

–Por supuesto.

Ian le dio la espalda a Cassie y las gracias al destino, que además de haberlo encerrado con la sexy y lujuriosa Cassie, tuvo la deferencia de poner una ventana delante de él con un cristal donde pudo ver su reflejo mientras se cambiaba de ropa.

Quizá no fuera digno de un caballero, pero ningún caballero en su sano juicio habría apartado la vista ante semejante espectáculo.

La velada se estaba poniendo cada vez más interesante.

Aquella mujer era la viva imagen de la tentación. Sus grandes senos y las increíbles curvas de su caderas formaban una combinación letal.

–Como iba diciendo… –declaró él, ligeramente nervioso–, soy consciente de que ni tú ni yo estábamos preparados para sentir algo tan repentino e intenso que…

Cassie, que ya se había puesto los vaqueros, lo interrumpió.

–No te hagas ilusiones, Ian.

Él hizo caso omiso del comentario. Siguió hablando como si no hubiera dicho nada.

–El hecho de que me gustes no significa que no pueda controlar mis emociones.

Cassie se estaba abrochando el sostén, pero se detuvo de repente. Alzó la mirada y, al verlo reflejado en el cristal, dijo con sorna:

–¿Ah, sí? Entonces, ¿por qué me estás mirando?

–Lo siento. Me he dado la vuelta, pero la ventana está delante de mí…

–¿Y no te vas a disculpar?

Ian se giró. Ya no tenía sentido que fingieran.

–Soy un hombre. No me voy a disculpar por encontrarte atractiva.

Cassie lo miró con exasperación, se puso la camisa y se la abrochó con rapidez. Ian la miró a los ojos; tuvo que hacer un esfuerzo para no acercarse y desnudarla de nuevo.

–Eres una mujer impresionante –continuó.

Ella se quedó boquiabierta.

–No sé por qué te sorprende tanto que lo mencione –dijo Ian–. Es la verdad.

Ian estaba asombrado con Cassie. No parecía ser consciente de su atractivo. De hecho, tenía la sensación de que se consideraba fea.

¿Por qué pensaba eso? ¿Dónde estaba el origen de su inseguridad?

Ian no tenía tiempo para salvar a damiselas en apuros. Pero había algo en su interior, algo primario, rozando lo posesivo, que alimentó el deseo de profundizar en Cassie Barrington y descubrir todos sus secretos. No solo los físicos.

Algo que le asustó.

–No necesito que me halaguen –declaró ella–. Estamos atrapados en el ático, y tus mentiras no van a cambiar las cosas.

–No he mentido, Cassie.

Ella se limitó a mirarlo con desconfianza.

–Te encuentro muy sexy –prosiguió él–. Tendría que estar ciego para no encontrarte sexy.

Cassie sacudió la cabeza. Después, guardó el vestido en la bolsa blanca, lo devolvió a la caja de donde lo había sacado y se inclinó para cerrarla. Como estaba de espaldas a Ian, le ofreció una perspectiva maravillosa de sus nalgas.

Tras unos segundos de silencio, Cassie se acordó de las fotografías que había estado mirando y dijo en voz baja, mientras se sentaba en el suelo:

–No sé si te ha pasado alguna vez… Me refiero a

mirar una fotografía y que recuerdes ese momento con tanta exactitud que casi lo puedes sentir.

Ian interpretó sus palabras como una invitación para sentarse con ella, así que cruzó la sala y se acomodó a su lado. Entonces, Cassie alcanzó una de las fotografías y se la enseñó. Era de dos mujeres que estaban montando a caballo. La primera era la propia Cassie, de niña; la segunda, una impresionante belleza de cabello oscuro.

—Ese fue mi primer caballo, ¿sabes? —dijo, sin apartar la vista de la imagen—. Conseguí que me lo compraran en una subasta, aunque mis padres me advirtieron que tendría que encargarme personalmente de su cuidado.

—¿Cuántos años tenías?

—Ocho —contestó—. Me enamoré de él en cuanto lo vi. Dijeron que era un caballo nervioso y que se asustaba de la gente, pero me acerqué de todas formas, a pesar de las protestas de mi padre, y el caballo inclinó la cabeza y me acarició la mejilla con el morro.

Ian asintió.

—Yo no he montado nunca a caballo…

Cassie dejó la fotografía y lo miró.

—¿En serio? Pues tendremos que solventar ese problema.

Ian soltó una carcajada.

—No te estoy pidiendo que me enseñes a montar. Ha sido una simple constatación de un hecho.

Cassie cambió de posición y le rozó la pierna con uno de sus muslos. Ian pensó que estaba jugando con fuego y no lo sabía. Que fuera mayor que él no implicaba que tuviera más experiencia.

—Me encanta enseñar a montar —dijo ella, totalmente ajena a los pensamientos de Ian.

Cassie sonrió de tal manera que la cara se le iluminó. Y, para Ian, fue la gota que colmó el vaso de agua.

Sin poder resistirse, le pasó las manos por el pelo y besó sus labios. Ella entreabrió la boca al instante, como si lo deseara tanto como él.

Fue un beso apasionado, aunque también frustrante. Ian necesitaba mucho más que eso; necesitaba el contacto de sus manos, pero ella ni siquiera lo tocó. Cualquiera habría dicho que no tenía experiencia en asuntos amorosos.

Al cabo de unos momentos, él rompió el contacto y dijo:

–Esto es una experiencia satisfactoria.

Pero aún faltaba lo más difícil. Ian era plenamente consciente de que estaban encerrados en el ático de la casa, y de que tenían toda una noche por delante.

¿Qué iba a pasar? ¿Sería capaz de mantener las distancias? ¿O se rendiría incondicionalmente al deseo?

Capítulo Tres

Cassie sintió un escalofrío cuando se puso de pie. Apartarse de Ian era como salir del verano y arrojarse al más crudo de los inviernos.

–¿Qué estás haciendo? ¿Crees que voy a hacer el amor contigo solo porque nos hemos quedado encerrados en este lugar? –Cassie se pasó una mano por el pelo, fuera de sí–. No sé qué tipo de vida llevas en Los Ángeles, pero seguro que no es el mío.

Ian la miró fijamente.

–¿Vas a negar que me deseas tanto como yo?

–Eso carece de importancia –replicó a la defensiva–. Técnicamente, acabamos de conocernos… No sé nada de ti.

Lentamente, como un depredador que acechara a una presa, Ian se levantó del suelo y caminó hacia Cassie.

–Sabes que te excitas cuando te toco, y sabes que el corazón se te acelera cuando estás conmigo. ¿Por qué te resistes a lo que sientes?

Cassie arqueó una ceja e intentó fingirse tranquila.

–Porque esas reacciones no tienen nada que ver contigo. No las provoca Ian Shaffer, sino mi propia necesidad. No es más que una respuesta química.

–Entonces, no niegas la existencia de esa respuesta… –dijo con arrogancia.

Cassie entrecerró los ojos.

–La niegue o no la niegue, sigue siendo cierto que nos acabamos de conocer.

Ian sonrió.

–Está bien. ¿Qué necesitas saber?

–¿Estás casado?

Ian soltó una carcajada.

–Ni lo estoy ni tengo intención de estarlo.

–¿Y no sales con nadie?

–Si saliera con alguien, no te besaría.

Ella se encogió de hombros.

–Vete a saber… Hay gente que no tiene tantos escrúpulos con esas cosas –comentó.

Ian la miró de arriba abajo con intensidad.

–Seguro que sí, pero yo no soy como esa gente.

Cassie sacudió la cabeza de repente.

–No puedo creer lo que está pasando… ¡Estoy jugando contigo al juego de las preguntas, como si fuera una adolescente! Y solo porque necesito sexo.

–Querida, estoy dispuesto a contestar mil preguntas si tú estás dispuesta a hacer el amor conmigo.

Cassie sintió un acceso de calor, así que se remangó la camisa y se desabrochó dos botones.

–No te hagas ilusiones, Ian –dijo–. Solo intento refrescarme.

De repente, estaba tan incómoda que lamentó no haberse recogido el pelo antes de subir. Y no llevaba ninguna goma encima.

Pero tenía que haber alguna en alguna parte, así que se puso a buscar mientras hacía un esfuerzo por no pensar en Ian ni en las gotas de sudor que habían empezado a mojarle la camisa.

–¿Qué estás buscando? ¿Quieres que te ayude?

–Estoy buscando una goma para recogerme el pelo –respondió a regañadientes–. Tú no eres el único que suda…

Ian no dijo nada. Se la quedó mirando como si le pareciera más apetecible que nunca, lo cual desconcertó a Cassie. ¿Cómo era posible que la mirara así? Tenía el pelo revuelto y, además, empezaba a estar empapada de sudor.

Desesperada, decidió cambiar de conversación y llevar el asunto a terrenos menos peligrosos.

–¿Por qué has venido al rodaje? Tengo entendido que los agentes artísticos no suelen hacer esas cosas.

Ian se desabrochó la camisa y dijo:

–No sé qué harán el resto de mis compañeros de profesión, pero yo suelo visitar a mis clientes. Sobre todo cuando son tan importantes como Max y están rodando una película tan prometedora.

–¡Bien! –exclamó Cassie en ese momento.

–¿Has encontrado lo que buscabas?

–Sí. –Cassie se recogió el pelo y se giró hacia él–. Max parece un buen tipo, y forma una pareja excelente con Lily Beaumont.

Ian asintió y se apoyó en un tocador antiguo.

–Ah, sí, Lily... Es una excepción muy agradable en el mundo del cine. Hollywood no la ha echado a perder. Tuvo unos cuantos escándalos al principio de su carrera, pero los superó. Goza de todo mi respeto.

–De tu respeto y seguro que de algo más, porque sospecho que te habrás acostado con ella...

Ian rompió a reír.

–Pues no –dijo con firmeza–. Ni me he acostado con ella ni tengo intención de acostarme con ella.

–Oh, vamos... He visto cómo la miras.

–Miro a Lily con interés porque albergo la esperanza de que contrate mis servicios –le informó–. Por lo demás, no me acuesto nunca con mis clientes... Estoy en un negocio público y, en consecuencia, demasiado arriesgado en ese sentido. Ni siquiera lo podríamos mantener en secreto. En Hollywood no hay secretos.

–¿Eso es lo único que impide que te acuestes con ella? ¿El miedo a que os descubran?

Ian se apartó del tocador y dio un paso hacia Cassie, que se arrepintió de haberlo provocado.

–No, no es eso. Reconozco que Lily es una mujer muy guapa, pero ni me siento atraído por ella ni tengo más interés en su caso que el puramente laboral –insistió–. ¿Qué parte no has entendido? Nunca me acuesto con mis clientes. Y punto.

Ian se había acercado tanto a Cassie que ella tuvo que echar la cabeza hacia atrás para poder mirarlo a los ojos. Pero, a pesar de ello, no la tocó.

Ian la miraba como si ella fuera la única mujer que le importaba en ese momento. Y eso la llevó a hacerse una pregunta importante.

¿Estaba segura de que no quería una aventura amorosa con él?

–Te prometo que no me abalanzaré sobre ti si te quitas la ropa –dijo Ian con una sonrisa pícara–. Tu camisa parece larga, así que te taparía los muslos si decides quitarte los vaqueros. Y, aunque no te los tape del todo, créeme: no será la primera vez que vea a una mujer en esas circunstancias.

Ella lo maldijo para sus adentros. No tenía la menor intención de quitarse los pantalones; entre otras cosas, porque no se sentía tan cómoda con su propio cuerpo. Y, aunque al final decidiera acostarse con él, tampoco le iba a facilitar las cosas.

Cassie decidió darle una lección. Alzó un brazo, le dio unas palmaditas en la mejilla y dijo, con sorna:

–Oh, pobrecito. Siempre dispuesto a sacrificarte.

Segundos después abrió la caja con las cosas de su madre y encontró una pila de vestidos de verano.

–Cuéntame más cosas de Lily –dijo, para darle conversación–. Se parece mucho a mi madre…

Él asintió.

–Sí, es cierto. Cuando me llegó el guion de la película y me enteré de que iban a contratar a Max para el papel de Damon, pensé que Lily sería su contraparte perfecta. Tiene la misma elegancia sureña que tenía tu madre. Y el mismo acento suave que tenéis todos los Barrington…

Cassie se giró hacia él con el vestido que había elegido, uno sin mangas.

–Yo no tengo ningún acento.

Ian arqueó una ceja.

–Lo tienes, y se nota más cuando te enfadas. Es tan sexy como bonito.

Cassie sacudió la cabeza.

–Bueno, me voy a cambiar de ropa… ¿Me podrías hacer el favor de no mirarme otra vez en el reflejo del cristal?

Ian no contestó. De hecho, tampoco se movió. Se quedó mirándola con una sonrisa en los labios.

–¿No te vas a dar la vuelta? –insistió.

–Ah, ¿es que quieres que me dé la vuelta? He pensado que prefieres que te mire abiertamente…

–Pues no. No quiero que me mires. De hecho, tampoco quiero estar en la misma habitación que tú. Pero no puedo hacer nada al respecto.

Ian volvió a callar.

–Está bien, Si no te mueves tú, me moveré yo. –Cassie se metió detrás de un montón de cajas apiladas–. Y no me sigas.

–No se me ocurriría. Solo estás postergando lo inevitable.

–Yo no estoy postergando nada. No me voy a acostar contigo –insistió con vehemencia, mientras se ponía el vestido de verano.

–Si tú lo dices…

Cassie se maldijo a sí misma un vez más. Por mucho que negara lo que sentía, su cuerpo no dejaba de reaccionar a sus insinuaciones. Le gustaba demasiado. Y, cuando él se acercó y se la volvió a comer con los ojos, intentó hacer un esfuerzo para recordarse por qué se resistía tanto.

Pero fracasó.

Nadie la había mirado así, como si fuera la única mujer del mundo. Nadie había conseguido que se sintiera tan femenina y tan sexy.

Cassie tragó saliva y pensó que Ian estaba en lo cierto. Solo estaba postergando lo inevitable. Pero, si se iba a acostar con él, necesitaba mantener el control. Se había dejado dominar durante cuatro largos años de matrimonio. Y ahora quería algo distinto.

Quería sexo y quería a Ian.

Sacó fuerzas de flaqueza, lo miró a los ojos y dijo, sin más:

–Desnúdate.

Ian no era un hombre al que se pudiera sorprender con facilidad, pero la orden que salió de los labios de Cassie lo dejó sin aliento y casi sin palabras.

–¿Qué has dicho?

Ella arqueó una ceja y se cruzó de brazos, como desafiándolo a no obedecer.

–Lo que has oído. He dicho que te desnudes –sentenció–. ¿Quieres que hagamos el amor? Muy bien, lo haremos. Pero con mis normas.

–Yo no hago el amor con normas.

Cassie se encogió de hombros.

–Ni yo me suelo acostar con el primer hombre que pasa. Pero aquí estamos, ¿no te parece? Así que los dos tendremos que renunciar a algo.

Ian tragó saliva.

Jamás habría imaginado que la tímida y tranquila hermana de Tessa tuviera una veta de seductora tan desarrollada.

Se llevó las manos a la camisa, que ya se había desabrochado, y se la quitó. Después, la dejó caer al suelo y la miró con una sonrisa.

–Ahora te toca a ti.

Cassie rio.

–Disculpa, pero aún no has terminado de desnudarte.

–No, pero ya me he quitado más cosas que tú –dijo, mirándola a los ojos–. ¿Y bien? ¿Qué vas a hacer? Porque estoy esperando…

Cassie no apartó la vista de él. Pero él notó que las manos le temblaban cuando se inclinó para bajarse las braguitas.

–Vuelve a ser tu turno, Ian…

–Es verdad.

Ian se quitó los zapatos y los calcetines.

–Me temo que solo te queda una prenda por quitarte, Cassie.

Ella se estremeció y lanzó una mirada a la luz que estaba encendida.

–No la apagues –ordenó él–. Quiero verte.

–No sabes lo que dices… Es mejor que la apague.

–¿Por qué?

Cassie señaló su cuerpo.

–Puede que no te hayas dado cuenta, pero no soy una de esas actrices de Hollywood que tienen un cuerpo perfecto, sin una gota de grasa.

Ian se acercó a ella, le pasó las manos por los brazos y, a continuación, metió los dedos bajo las tiras del vestido.

–Por supuesto que me he dado cuenta.

Cassie no pudo decir nada. Permaneció inmóvil mientras él le quitaba el vestido y la dejaba completamente desnuda.

–Por eso me niego a que apagues la luz –continuó él–. Porque me he dado cuenta.

Ian se quitó los pantalones y los calzoncillos y los lanzó al suelo sin decir una palabra más. No quería darle tiempo para que se asustara de sus propias curvas o del hecho de que la deseaba con toda su alma. Sin embargo, Cassie lo miró con hambre y le causó el mismo efecto que si lo hubiera acariciado por todas partes con las manos.

Después, le pasó los brazos alrededor de la cintura y se apretó contra ella.

–Daría cualquier cosa por explorar tu cuerpo… pero, sinceramente, estoy tan excitado que no sé si puedo esperar –le confesó.

Cassie sonrió con debilidad. Allí, apretada contra Ian, se sentía perfecta.

Él la alzó en brazos.

–Ian, no…

–No te preocupes –susurró contra su boca–. Ya te tengo.

Ella volvió a sonreír.

–Sí, ya veo que me tienes. Pero, ¿también tienes un preservativo?

Ian se quedó helado. Era verdad; necesitaban un preservativo.

Decidido a no perder más tiempo, la dejó en el suelo y alcanzó los pantalones. Por fortuna, llevaba uno en la cartera.

Cuando se volvió a girar hacia ella, esperaba encontrar a una mujer asustada que se estaría mordiendo el labio inferior o tapándose los senos por vergüenza, pero se encontró con una mujer segura que lo miraba con una sonrisa seductora.

–¿Sabes que tu seguridad es muy sexy...?

–Si soy sexy es porque tú haces que me sienta así.

Ian la encontró más deseable que nunca. Definitivamente, Cassie Barrington no era como las actrices que estaban de moda en Hollywood, tan delgadas; era como las actrices de la época dorada del cine: mujeres vibrantes, exuberantes, muy sensuales.

Y cuando un segundo después se acercó a él y asaltó su boca con un beso apasionado, le pareció mucho más sensual.

Ian la atrapó contra la pared y la volvió a levantar, pero ella cerró las piernas alrededor de su cintura y no le permitió que la tomara en brazos. Había tomado el control de la situación. Ya no podía hacer otra cosa que darle lo que quería.

Así que se lo dio.

La penetró con fuerza, arrancándole un gemido de placer.

Mientras se movían, Ian le lamió el cuello y a continuación la volvió a besar en la boca. Sus cuerpos estaban impregnados de sudor, y la temperatura parecía haber aumentado varios grados.

Al cabo de unos momentos, Cassie le clavó las uñas en los hombros y susurró:

–Oh, Ian...

Ian supo lo que estaba pasando. Lo supo porque él también estaba a punto de llegar al clímax. Y, cuando los dos se despeñaron por el abismo del placer, admiró su rostro y pensó que aquella había sido la experiencia más erótica de toda su vida.

Una experiencia que podía ser la primera de muchas.

Al fin y al cabo, la noche acababa de empezar.

Cassie se puso el vestido sin molestarse antes en ponerse las braguitas. Ya no tenía que mostrarse recatada. No después de lo que habían hecho.

Aquel hombre la había cambiado en un espacio increíblemente corto de tiempo. Había estado casada durante cuatro años, y no se podía decir que se hubiera comportado como una diosa del sexo. Pero, cuando Ian la miraba y la tocaba, parecía otra.

Había despertado algo en ella. Algo que, hasta entonces, no sospechaba tener.

¿Cómo era posible que un hombre al que había conocido días atrás, un hombre que era prácticamente un extraño, le hiciera sentirse tan segura? Le había hecho el mayor de los regalos: le había devuelto la confianza en sí misma, que creía perdida para siempre.

Acababa de recoger las braguitas del suelo cuando Ian le puso las manos en la cintura y, tras darle la vuelta, la apretó contra su pecho.

—¿Aún te preocupa nuestra diferencia de edad? —Le mordió suavemente el lóbulo—. ¿Alguna queja sobre mi excesiva juventud?

Cassie rio.

—Ninguna. Es obvio que sabes lo que haces.

Ian la besó en el cuello.

—Pues todavía no he terminado…

Ella se estremeció y apoyó la cabeza en su hombro, disfrutando de sus besos.

—No sé por qué te has puesto el vestido —continuó él—. Aquí hace demasiado calor.

–Es cierto. Lo hace…

Cassie bajó la mirada y contempló el cuerpo de Ian, que seguía completamente desnudo. Luego, acarició sus fuertes bíceps y dijo:

–Me has asaltado tan deprisa que no he tenido ocasión de admirarte como se debe.

Ian sonrió.

–Admírame todo lo que quieras, pero no me vengas con esas. Yo no he empezado esto. Lo has empezado tú cuando me has pedido que me desnudara.

Cassie sacudió la cabeza.

–No es verdad. Lo empezaste tú en las caballerizas, cuando me ofreciste tus favores.

–¿Qué otra cosa puede hacer un hombre cuando una mujer tan bella le cae literalmente en los brazos? –preguntó.

–Dicho así…

Ian cerró las manos sobre sus nalgas y sonrió un poco más.

–En todo caso, me alegra que nos hayamos quedado encerrados.

Cassie no lo dijo, pero también se alegraba. Y hasta albergó la esperanza de que, ahora, después de haber hecho el amor con él y de haber satisfecho sus necesidades, pudiera volver al trabajo y a su vida de siempre sin la tensión sexual de los días anteriores.

Pero la esperanza saltó por los aires cuando Ian la acarició de nuevo.

–Sospecho que no nos rescatarán hasta dentro de unas horas –dijo él–. Y se me ocurren muchas formas de matar el tiempo.

Ian la empujó hasta una vieja mesa de madera, donde la encaramó.

–¿Tienes más preservativos? –preguntó ella.

–Me temo que no.

–Maldita sea…

–No maldigas tu suerte tan deprisa. Puede que no tenga más preservativos, pero eso no significa que no te pueda dar placer.

Ian se lo demostró con una lección práctica. Y, mientras se lo demostraba, Cassie deseó que aquella noche no terminara nunca.

Capítulo Cuatro

Ian le pasó una mano por la espalda desnuda.

Estaban tumbados en un viejo sofá. Ella se había quedado dormida, pero él no podía dormir. Era tan bella que no se cansaba de mirarla.

Y se asustó.

Hacer el amor era una cosa; permanecer despierto toda una noche admirando el cuerpo de una mujer, otra bien distinta. Se había empezado a comportar como una especie de tonto muy concreta: un tonto enamorado.

Pero, qué sabía él. No se podía decir que fuera un experto en relaciones afectivas, ni siquiera en el terreno familiar. Era hijo de una madre que ya iba por su cuarto divorcio y de un padre que, por lo visto, desconocía el amor. Una madre con la que solo hablaba de vez en cuando y un padre al que no había visto en muchos años.

Definitivamente, no era ningún experto en la materia.

Pero era un gran profesional, que estaba a punto de dar un gran paso adelante en su carrera. Un paso que se llamaba Lily Beaumont.

Entonces, ¿qué hacía con Cassie? No había ido a Stony Ridge en busca de una relación.

El sonido de un coche lo sacó de sus pensamientos. Rápidamente, se apartó del cálido y lujurioso cuerpo de su amante y se acercó a la ventana.

Tessa y Grant acababan de llegar al rancho.

Durante unos segundos, no supo si llamar su atención o volver a la cama y despertar a Cassie de la más sexual de las maneras. Pero la noche había terminado, y tenía cosas que hacer. Además, no sabía si Cassie habría reaccionado bien a sus atenciones. Cabía la posibilidad de que, cuando abriera los ojos, se arrepintiera de lo que habían hecho.

Al final, abrió la ventana y gritó:

—¡Eh! ¡Estamos aquí...!

Tessa y Grant miraron a su alrededor, confundidos.

—¡Aquí! ¡En el ático!

—¿Ian? ¿Qué ha pasado? —exclamó Grant—. No te preocupes... Subimos enseguida.

Justo entonces, Ian cayó en la cuenta de que los dos estaban completamente desnudos.

—¿Con quién hablabas? ¿Con Tessa y Grant? —preguntó Cassie mientras se ponía los pantalones.

—Sí.

Él alcanzó su ropa y la imitó a toda prisa, aunque tuvo que hacer un esfuerzo para apartar la vista de sus senos cuando ella se puso el sostén.

—Voy a acercarme a la puerta —le informó—. Así ganaré unos segundos y te daré tiempo para que te termines de vestir.

Momentos después, Tessa apareció en la entrada.

—¿Qué ha pasado, Ian?

—Que la puerta se cerró y nos quedamos encerrados.

Tessa frunció el ceño.

—¿Con quién estás?

—Con tu hermana.

—¿Ah, sí? —Tessa sonrió—. Bueno... en ese caso, os esperaremos en la cocina. Tomaos todo el tiempo que necesitéis.

Tessa ya se había marchado cuando Cassie apareció completamente vestida y con un rubor encantador en las mejillas.

–Lo siento –dijo él–. He intentado que no se diera cuenta, pero creo que tu hermana lo sabe.

Cassie asintió.

–No te preocupes. No se lo dirá a nadie.

Por algún motivo, la declaración de Cassie le molestó.

–¿Eso es lo que vamos a hacer? ¿Guardarlo en secreto?

Cassie se apartó el cabello de la cara y suspiró.

–No lo sé, la verdad… Esto es nuevo para mí –le confesó–. ¿Qué te parece si bajamos y dejamos la conversación para más tarde?

Ian asintió. Tampoco ardía en deseos de analizar lo sucedido. Y tenían que concentrarse en sus respectivos trabajos. Pero, a pesar de ello, se interpuso en su camino cuando ella intentó salir. Necesitaba volver a probar su boca.

–¿Qué estás haciendo? –preguntó Cassie.

Él le acarició el pelo y le inclinó la cabeza.

–Besarte –contestó.

Ian le dio un beso apasionado que tuvo una respuesta igualmente apasionada. De haber podido, le habría quitado la ropa y le habría hecho otra vez el amor. Rompió el contacto y, tras dedicarle una mirada intensa, la soltó sin decir una palabra y se apartó de la puerta para que pudiera pasar.

Antes de seguirla, Ian echó un vistazo al ático y sonrió con nostalgia. Aquel lugar se había convertido en su rincón favorito de Stony Ridge.

***

Cassie llegó a la cocina unos segundos antes que él. Y cuando Ian entró, notó varias cosas interesantes.

La primera, que Tessa y Grant estaban sentados a la mesa; la segunda, que lo miraban con una sonrisa pícara en los labios y; la tercera, que Linda les estaba sirviendo unos rollitos de canela.

Pero eso no le interesó tanto como la propia Cassie.

La mujer con la que había pasado la noche se había arrodillado delante de una niña de hermosos rizos rubios. La pequeña no se parecía nada Cassie, pero se abrazaban con tanto afecto que su relación familiar estaba fuera de duda.

–¿Quién es esta maravilla? –preguntó.

Cassie tomó a la niña en brazos y se levantó antes de contestar.

–Es mi hija, Emily.

Ian se quedó atónito. Cassie tenía una hija y no le había dicho nada.

¿Cómo era posible? Ciertamente, no se podía decir que hubieran hablado mucho antes de hacer el amor, pero se dijo que era un detalle demasiado importante como para pasarlo por alto.

–¿Queréis desayunar? –preguntó Linda, rompiendo el silencio.

Ian miró a Linda y, a continuación, a Cassie, que lo observaba con el ceño fruncido.

–Yo no, gracias… Tengo cosas que hacer.

Ian salió por la puerta de atrás, indignado ante el hecho de que Cassie le hubiera ocultado una parte tan crucial de su existencia.

¿Se habría equivocado con ella? La había tomado por una mujer tranquila y concentrada en su trabajo que necesitaba un poco de afecto. Pero la noche anterior se había comportado como la más experta de las amantes. Y, ahora, descubría que tenía una hija y que la dejaba al cuidado de su hermana cuando se quería divertir.

Aparentemente, se había acostado con una seductora.

Ian no lo podía creer. Todo parecía indicar que Cassie le había tomado el pelo y que, en el fondo, no era más que otra mujer manipuladora y egoísta que cambiaba de hombre como de camisa.

Una mujer como su madre.

Cassie se sentía humillada.

Podía entender que Ian estuviera confundido, pero no entendía que se hubiera marchado de una manera tan brusca e insensible.

–¿Cass?

Cassie se giró hacia Tessa y sonrió.

–Gracias por haber cuidado de Emily –dijo–. Me voy a cambiar de ropa… Nos veremos dentro de un rato en las caballerizas.

Tessa se levantó y caminó hacia ella.

–Cassie…

–¿Sí?

–No hagas eso.

Cassie intentó sacar fuerzas de flaqueza. Se sentía tan mal que solo quería sentarse y llorar, pero sabía que las lágrimas no arreglaban los problemas.

–Solo voy a cambiarme de ropa –repitió, angustiada–. Estaré allí dentro de una hora.

–Deja a Emily en la cocina –intervino Linda–. Yo me ocuparé de ella y le daré de comer.

Cassie asintió y dejó a la niña en su sillita, junto a la encimera.

–Gracias, Linda.

Ya se dirigía hacia la puerta cuando su hermana la volvió a llamar. Sin embargo, ella sacudió una mano y siguió adelante sin detenerse.

Necesitaba estar sola.

¿Cómo podía haber sido tan ingenua? No esperaba que a Ian Shaffer le gustaran los niños, pero tampoco esperaba que reaccionara con tanto desprecio.

Además, estaba muy enfadada con ella misma. Cuando Derek la abandonó, se prometió que no volvería a permitir que un hombre le hiciera daño. Y, además de haberlo permitido, se había acostado con el primero que le había ofrecido un poco de afecto.

Era absolutamente inadmisible.

Salió de la casa y se dirigió a su cabaña, que estaba junto a los establos. Pero la luz del sol y las propias lágrimas de sus ojos la cegaron hasta el punto de que no vio a Ian hasta que se encontró a un par de metros de él.

La estaba esperando en el porche, a la sombra.

–¿Qué haces aquí? –dijo de mala manera–. ¿No tendrías que estar con tus clientes?

Cassie pasó a su lado, sacó la llave y abrió la puerta a toda prisa, con intención de cerrársela en las narices; pero Ian se lo impidió y entró con ella.

–¿Qué demonios quieres? –preguntó ella, indignada.

–Quiero saber por qué no me habías dicho que tienes una hija.

Ella respiró hondo e intentó tranquilizarse.

–¿Tienes hijos, Ian?

Él parpadeó, desconcertado.

–No.

–¿Y por qué no me habías dicho que no los tienes?

–Supongo que no ha surgido la ocasión…

Cassie arqueó una ceja.

–Exactamente, Ian. No ha surgido la ocasión. No se puede decir que hayamos hablado mucho antes de… Y, ahora, sal de mi casa. He cometido un error contigo, pero no se volverá a repetir.

Ian cerró la puerta de golpe y dijo:

–No me gusta que me tomen el pelo.

–¿Tomarte el pelo? Yo no he tomado el pelo a nadie… Soy madre de una hija, nada más. Ni me voy a disculpar por ello ni vas a conseguir que me sienta mal por eso.

Él apretó los puños y la miró fijamente, sin hablar. Cassie intentó no fijarse en los fuertes músculos de su pecho.

–Mira, vas a estar mucho tiempo en Stony Ridge, así que será mejor que nos llevemos bien –continuó ella, intentando rebajar la tensión.

Ian la miró de arriba abajo con deseo.

–Ojalá fueras distinta… –dijo en voz baja.

Cassie se cruzó de brazos.

–¿Cómo? ¿Qué has dicho?

Ian suspiró.

–Nada, no importa… Es verdad que voy a estar aquí una buena temporada, y que no conviene que nos compliquemos la vida –declaró con frialdad–. Lo de anoche fue un error. Hagamos como si no hubiera pasado nada.

Ian abrió la puerta, y Cassie tuvo que resistirse al deseo de lanzarle algún objeto. Había visto un destello de vulnerabilidad en sus ojos; pero Ian lo había ocultado rápidamente bajo unas palabras ofensivas.

Sin embargo, intentó convencerse de que no importaba. No necesitaba a nadie. Y mucho menos, a un hombre que se comportaba como si su hija fuera una molestia.

Emily era lo más importante de su vida. Y ningún hombre iba a conseguir que se avergonzara de ella jamás.

Ni Derek ni, por supuesto, Ian.

Cassie se dirigió al dormitorio principal y maldijo a su cuerpo por traicionarla de un modo tan ingrato. A pesar de lo sucedido, su piel aún ardía con el recuerdo de la noche anterior. ¿Cómo era posible que echara de menos sus caricias?

No encontró respuesta alguna. Y tampoco encontró explicación para el hecho de que un hombre tan cariñoso y apasionado pudiera ser tan cruel.

Era como si la aparición de Emily hubiera reabierto una herida en su corazón. Sin embargo, no tenía ni el tiempo ni la energía necesarias para preocuparse por esas cosas. Los problemas de Ian eran exclusivamente suyos.

Pero, ¿qué iba a hacer ahora? ¿Cómo soportar la tortura de verlo todos los días y recordar que, durante unas horas, le había devuelto la confianza en sí misma?

En ese momento, habría dado cualquier cosa por volver al pasado y borrar a Ian Shaffer de su memoria.

Ian había tenido la mejor experiencia sexual de su vida, pero la revelación de que Cassie tenía hija había apagado temporalmente su deseo.

Una hija. Quién lo iba a imaginar.

No era que no le gustaran los niños. Le parecían seres inocentes que no tenían ninguna responsabilidad en lo tocante a los actos de sus progenitores. Y tampoco le importaba que Cassie fuera madre. Ese no era el problema.

El problema había surgido cuando vio que abrazaba a Emily después de haberla dejado con Tessa y Grant. Ian se acordó inmediatamente de su madre, que siempre lo dejaba con alguna niñera para poder salir a divertirse.

Desde luego, su deseo se recuperó enseguida. Cassie era muy sexy, y el recuerdo de aquella noche no era algo que pudiera olvidar con facilidad. Pero ahora sabía que tenía una hija, lo cual cambiaba las cosas. No quería ser como los hombres que entraban y salían de su vida cuando era niño. Y tampoco buscaba una relación seria, así que no podía seguir con Cassie.

Sacudió la cabeza e intentó olvidar el asunto mientras caminaba hacia Max Ford. Su cliente se acababa de casar, y había adoptado una niña con su pareja.

–Hola, Ian, ¿me acompañas? Me están esperando en la sala de maquillaje.

–Por supuesto.

Ian lo acompañó hasta el remolque de las maquilladoras, donde entraron segundos después. Max intercambió unas palabras con una de las chicas y, a continuación, se sentó al lado de su agente y empezó a hablar:

–Tengo entendido que hoy vais a grabar en las caballerizas… He echado un vistazo al guion y he visto que hoy toca la escena en la que Damon y Rose reciben los primeros purasangres después de casarse.

Max asintió. Una de las maquilladoras se puso a su lado y le empezó a limpiar la cara.

–Sí, en efecto. Es una escena corta –dijo–. Pero

aún faltan algunos planos de la boda... Los rodaremos esta tarde, en la iglesia del pueblo.

–¿Y qué tal va todo? ¿Bien?

–Mejor que bien... Raine me ha dicho que llegará dentro de unos días. Está encantada con el hecho de que rodemos en la Costa Este.

Ian sabía que Max y Raine, que se conocían desde sus tiempos en el instituto, habían pasado por un pequeño infierno antes de reencontrarse en Lenox, la localidad de Massachusetts donde había crecido el actor. Y ni siquiera alcanzaba a imaginar cómo se las arreglaban para mantener una familia en un mundo tan difícil como el del cine. Pero Max estaba profundamente enamorado. Tanto, que había sentado cabeza y se había comprado una granja en Nueva Inglaterra, donde residían, muy lejos del mundanal ruido.

–¿Cuándo vas a hablar con Lily?

A Ian no le sorprendió su pregunta. Max estaba informado de sus intenciones. Su relación era tan estrecha que se habían convertido en dos buenos amigos.

–Hoy mismo, si puedo... –contestó mientras maquillaban a Max–. Pero te mantendré informado. Voy a estar varias semanas en Stony Ridge, así que hay tiempo de sobra.

Max le lanzó una mirada.

–Me he tomado la libertad de hablar con ella. Ya sabe que estás interesado en ser su representante, y quiere escuchar tus propuestas. Espero que tome la decisión adecuada.

Ian contaba con ello. Lily conocía el sector y sabía que era uno de los mejores agentes artísticos de Hollywood. Pero eso no significaba que lo quisiera contratar.

Al cabo de unos momentos, se levantó y se dirigió a la salida del remolque.

–Bueno, será mejor que me marche. Si me necesitas, estaré por aquí…

Max asintió y preguntó:

–¿Ya has tenido ocasión de conocer a todos los Barrington?

Ian tragó saliva.

–Sí, ya los conozco a todos.

–Son una familia impresionante, ¿verdad? –comentó Max, ajeno a las preocupaciones de Ian–. No sé quién me merece más respeto… Damon es una gran persona, pero sus hijas no le andan a la zaga.

Ian se tuvo que morder la lengua para no decir un par de cosas sobre una de las hijas de Damon Barrington.

–Por eso creo que la película va a ser un éxito –replicó–. A la gente le encantan ese tipo de historias… Sobre todo, cuando las interpretan dos de los mejores de los actores de Hollywood.

–Espero que estés en lo cierto.

Ian no tenía ninguna duda. ¿Una historia de amor con Max Ford y Lily Beaumont como protagonistas? Si todo iba bien, sería el acontecimiento del año.

Pero, de momento, tenía cosas que hacer. Debía comprobar su correo electrónico y conseguir un papel para otro de sus clientes.

–En fin, te veré dentro de un rato…

Salió del remolque e intentó no mirar hacia la cabaña de Cassie, a quien extrañaba mucho. Habría dado cualquier cosa por saber lo que estaba haciendo, pero se dijo que su interés era puramente sexual.

Entonces, notó un movimiento en uno de los cercados más distantes y se acercó por curiosidad, sin saber lo que encontraría.

Cassie cabalgaba a lomos de un caballo zaino, con la melena al viento.

A Ian se le encogió el corazón. Estaba tan atractiva que se olvidó de todo.

Tessa se encontraba cerca de ella, pero no le prestó ninguna atención. Solo tenía ojos para aquella mujer de curvas impresionantes, que el movimiento del caballo enfatizaba al hacerla saltar sobre la silla. Era sexo en estado puro.

Sin embargo, no podía cometer el error de dejarse engañar por su belleza y olvidar su propio pasado. Había crecido con un padre tan exigente que nadie podía estar a su altura, y con una madre que se despreocupaba de su propio hijo porque estaba demasiado ocupada con sus amantes.

Cassie Barrington era un peligro para él. Le recordaba cosas que solo quería olvidar.

–Vaya, parece que tienes público…

Cassie se giró hacia su hermana, que se detuvo a su lado. Estaba encantada de haber salido a montar con ella.

–¿A quién te refieres?

Cassie echó un vistazo a su alrededor, esperando ver a algún miembro del equipo cinematográfico. Todo el rancho estaba lleno de gente que llevaba cosas de un lado a otro. No se parecía mucho al ambiente habitualmente tranquilo de Stony Ridge, pero tampoco le molestaba.

–A tu agente –contestó Tessa, girando la cabeza hacia la valla del cercado–. Se ha detenido cuando te ha visto. Y no se ha movido de ahí.

Cassie miró disimuladamente y comprobó que su hermana tenía razón, aunque Ian estaba tan lejos que no distinguía la expresión de su cara.

Aquella mañana, al volver a casa, tenía un mensaje de Derek en el contestador.

Cassie lo había borrado sin escucharlo antes. No le interesaba lo que tuviera que decir. Y, mucho menos, después de su disgusto con Ian.

–No es mi agente –protestó Cassie–. No es nada mío.

–Pues esta mañana me ha parecido que lo era…

Cassie se encogió de hombros.

–Ha sido un error, nada más.

Tessa se inclinó sobre su caballo y le puso una mano en el brazo.

–No te estoy juzgando, Cassie. Pero recuerda que la gente no es perfecta… Todos tomamos decisiones equivocadas, y sentirse culpable no cambia las cosas.

Cassie miró a su hermana con afecto.

–Oh, Tessa… Es que me odio por haberme entregado al primer hombre que se ha cruzado en mi camino –le confesó.

Tessa sonrió.

–Pues no deberías odiarte. Ian es un hombre muy atractivo, tú eres una mujer muy atractiva y los dos os quedasteis encerrados toda una noche. El deseo es una emoción particularmente intensa; sobre todo, cuando no se tiene nada mejor que hacer.

–Ya, pero debería haberme refrenado.

Tessa soltó una carcajada y apartó la mano.

–Qué quieres que te diga… Yo tampoco supe refrenarme con Grant –le recordó–. Y míranos ahora. Somos realmente felices.

Tessa le enseñó el anillo de diamantes que llevaba en el dedo. Además de ser una preciosidad, también era una demostración del respeto de Grant por su trabajo. Sabía que Tessa no podía correr con objetos voluminosos, así que le había regalado un anillo completamente liso.

Cassie lo miró y envidió la suerte de su hermana. Estaba con un hombre que la amaba y amaba su carrera. Un hombre que hasta se había enfrentado a sus propios demonios personales para estar con ella.

–Bueno, estoy bastante segura de que lo sucedido en el ático no va a terminar en boda –dijo Cassie con humor–. Ian se llevó un buen susto cuando me vio con Emily. Si le hubiera tirado un cubo de agua fría, no habría reaccionado peor… Y no puedo estar con nadie que no quiera a mi hija.

Tessa se echó el cabello hacia atrás.

–Sí, vi su cara cuando se enteró de que era hija tuya. Y es cierto que se llevó una sorpresa, pero creo que te equivocas con él. Si no le interesaras de verdad, no se habría detenido a mirarte. Además, es lógico que le sorprendiera.

Cassie guardó silencio. En su opinión, el interés de Ian Shaffer se reducía a bajarle las bragas. Y no se lo iba a permitir, aunque ardía en deseos de repetir la experiencia del ático.

De todas formas, no tenía tiempo para él. Estaban en plena temporada de carreras y, por si eso fuera poco, seguía con la intención de abrir una escuela para niños con discapacidades.

La idea se le había ocurrido por Melanie, la hermana de Grant, que había sufrido un accidente y se había quedado paralizada de cintura para abajo. Aún no la conocía, pero su historia la había emocionado hasta el extremo de que estaba dispuesta a escribir un capítulo nuevo en su vida. Además, podía ser útil para la propia Emily. Así aprendería a cuidar de otras personas y a interesarse por ellas.

Cassie le lanzó una mirada por encima del hombro y se sintió aliviada y decepcionada a la vez cuando vio que Ian se había ido.

Sin embargo, no le dio importancia. Estaba segura de que se volverían a ver.

Al final de la jornada, Ian se dirigió a los establos para ver si Lily estaba allí. No la había visto en dos días, así que tampoco había tenido ocasión de hablar con ella. Y prefería verla a solas, porque en los rodajes había tanta gente que solo podían cruzar unas cuantas palabras.

El sol se estaba poniendo, y el cielo había adquirido un color intensamente anaranjado. Ian sabía que faltaba poco para que Tessa y Cassie se marcharan a Baltimore, donde Tessa intentaría alzarse con otro triunfo en su camino hacia la consecución de la Triple Corona: la conocida carrera de Preakness Stakes. De hecho, no había ni un solo miembro del equipo cinematográfico que no estuviera entusiasmado con las hijas de Damon Barrington.

Ian se metió las manos en los bolsillos y siguió caminando hacia las caballerizas. Últimamente, intentaba no pensar en Cassie; porque, si pensaba en ella, se acordaba de su sonrisa y de su cuerpo y la deseaba tanto que se condenaba a la frustración.

Cuando llegó a la puerta, se quedó helado.

Lily estaba dentro, pero no sola. Tenía una mano en el hombro de Nash, el mozo de cuadra de los Barrington, y le susurraba algo al oído. Ian no pudo entender las palabras, aunque no necesitaba entender nada para saber que mantenían una relación íntima. Estaban pegados el uno al otro, y Lily lo miraba con una mezcla de afecto y preocupación.

Ian retrocedió y se alejó de la entrada de las caballerizas. No los quería interrumpir. Era evidente que se habían encontrado allí porque querían mantener su relación en secreto, fuera del tipo que fuera. No en vano, el propio Grant Carter había estado a punto de quedarse sin empleo cuando se descubrió que se estaba acostando con Tessa.

En cualquier caso, su secreto estaba a salvo con él: necesitaba ganarse la confianza de Lily y él no era de los que se metían en la vida de los demás.

Al pensarlo, soltó una carcajada. Habría sido terriblemente hipócrita que juzgara a la actriz por sus relaciones personales cuando él mismo se había acostado con Cassie en el ático de la casa de Damon. No era el más indicado para dar lecciones a nadie.

Ya se dirigía a su remolque cuando oyó un chillido; uno tan alto y estridente que no tuvo más remedio que intentar adivinar de dónde venía.

Había sonado en algún lugar de las cabañas que se alzaban detrás de la mansión. Momentos después, sonó otro grito.

Ian empezó a correr y terminó en un patio pequeño, con un columpio donde una niña se lo estaba pasando en grande. La persona que la empujaba era Cassie; y cada vez que la niña llegaba al punto más alto, soltaba un chillido.

Él se detuvo, súbitamente emocionado. Ni en los sueños de su infancia había tenido un momento como aquel.

La niña de cabellos rubios rompió a reír cuando Cassie agarró la parte trasera del columpio y lo subió un poco más que antes.

–Agárrate bien –le advirtió–, porque este va a ser el mayor empujón de todos...

Cassie empujó, Emily redobló sus carcajadas e Ian se quedó como clavado al suelo del pequeño patio, encantado con la escena.

–¿Qué estás haciendo aquí?

–He oído un grito y he pensado que alguien estaba en dificultades... –acertó a decir.

Cassie sacó a su hija del columpio, la tomó entre sus brazos y se la apoyó en la cadera, sin decir nada.

–¿Ya os vais? –continuó.

–Es que estábamos a punto de cenar...

–No os marchéis por mí, por favor.

Ian ni siquiera se había dado cuenta de que había empezado a caminar hacia ellas. Fue como si se sintiera atraído por un imán. Y, de repente, se encontró sometido al escrutinio de los ojos de la niña, tan grandes y expresivos como los de su madre.

Él se detuvo y la pequeña extendió un brazo y lo tocó mientras sonreía de oreja a oreja.

Cassie se puso en tensión al instante, iba a reprender a Emily, pero no tenía motivos para estar preocupada. Ian miraba a Emily con un afecto que procedía de lo más hondo de su ser: del niño que nunca había tenido el afecto de sus padres, del adolescente que se había sentido abandonado y del adulto que lamentaba no haber tenido unos progenitores más cariñosos.

–¿No tienes trabajo que hacer? ¿Ningún cliente con quien hablar? –preguntó Cassie, dejando claro que Ian no era bienvenido.

–He hablado con Max hace un rato, después del rodaje –respondió–. Por cierto, me ha extrañado no verte en la iglesia...

–Pues estaba allí –afirmó ella mientras acariciaba

el cabello de su hija–. Pero me he quedado al fondo para no molestar a nadie.

–¿Y qué te ha parecido?

–¿La escena?

–Sí, claro…

Cassie maldijo a Ian para sus adentros. ¿Por que se empeñaba en hablar con ella? ¿Por qué no la dejaba en paz?

–Me ha parecido perfecta. Lily estaba exactamente igual que mi madre en las fotografías de su boda. Y mi padre debe de pensar lo mismo que yo, porque ha derramado un par de lágrimas.

Ian asintió.

–Sospecho que el público se va a enamorar de la película. Y de tu familia.

Ella se encogió de hombros.

–Yo solo quiero que mi padre esté contento con el resultado y que la gente sepa que Damon Barrington tuvo que trabajar mucho para conseguir lo que tiene. No se lo regalaron –afirmó con orgullo–. En fin… ¿Querías algo más?

Ian carraspeó.

–Ahora que lo preguntas, sí…

–Te escucho.

–Quiero pedirte disculpas por la forma en que reaccioné cuando supe que tenías una hija.

Cassie arqueó las cejas, sorprendida.

–No esperaba que te disculparas por eso…

Ian pensó que él tampoco lo esperaba. Pero era obvio que se había comportado como un idiota y, por otra parte, la vida le había enseñado a saber pedir perdón. De hecho, estaba seguro de que, si sus padres hubieran tenido esa pequeña virtud, su existencia y la de él mismo habría sido mucho más fácil.

–¿Por qué no? Te aseguro que sé reconocer mis errores.

Ella suspiró.

–Puede que sí, pero no estoy acostumbrada a estas cosas.

–¿Y eso?

Ella sacudió la cabeza.

–No tiene importancia. Olvídalo –dijo–. Aunque te agradezco que te hayas disculpado, porque vas a estar mucho tiempo en el rancho y sería preferible que no compliquemos las cosas. Ya tengo demasiado estrés en mi vida.

Ian notó las ojeras de Cassie y se arrepintió de haberse portado mal con ella. Entre su trabajo y el cuidado de la niña, debía de estar realmente agotada.

–¿Nadie te ayuda con Emily?

Cassie lo miró a los ojos sin parpadear.

–Sí, mi familia. ¿Por qué lo preguntas?

Ian no pudo responder porque ni él mismo conocía la respuesta.

¿Por qué lo había preguntado? Los problemas de Cassie no eran asunto suyo. Habían compartido una noche de amor, pero eso significaba que tuviera un espacio en su vida. Además, no debía encariñarse demasiado de aquella mujer. Su presencia en Stony Ridge era temporal. Cuando el rodaje terminara, los dos volverían a sus rutinas de siempre y olvidarían lo sucedido.

–Bueno, será mejor que os deje cenar... Nos veremos mañana.

Ian se dio la vuelta con intención de marcharse.

–¿Ian?

Él se detuvo y se giró.

–¿Sí?

—No tengo gran cosa que ofrecer, pero te puedes quedar si quieres.

Ian no supo si Cassie le estaba ofreciendo la proverbial rama de olivo porque deseaba que se quedara con ellas o por pura educación.

—¿Estás segura?

Ella asintió.

—Por supuesto.

—En ese caso, tendría que ser tonto para rechazar una cena con dos damas tan encantadoras...

Capítulo Cinco

Cassie no supo por qué lo había invitado a cenar.

Desde luego, no era porque se sintiera débil y necesitara la compañía de un hombre. Se las arreglaba muy bien sin ayuda de nadie, como había demostrado desde su divorcio.

Cuando estaban juntos, se sentía irresistiblemente atraída por él, como si una fuerza invisible se empeñara en unirlos. Además, las cosas habían cambiado para mejor. Ian no había salido corriendo al ver a Emily.

–Espero que te gusten los emparedados de queso con patatas.

–Bueno, teniendo en cuenta que estaba condenado a cenar palomitas de microondas, un emparedado de queso me parecerá un manjar –replicó con humor.

Cassie se sobresaltó al oír su teléfono móvil, al mirar la pantalla, vio el nombre de su exmarido y decidió no responder. Si quería hablar con ella, ya sabía dónde encontrarla. Exactamente donde la había dejado cuando la abandonó.

Se olvidó del asunto y se centró en servirle la cena al hombre que ocupaba sus pensamientos por motivos mucho más agradables que los relacionados con Derek.

Cuando lo volvió a mirar, se llevó una sorpresa:

Ian se había sentado junto a Emily y le estaba dando pedacitos de comida.

Los ojos se le llenaron de lágrimas.

–¿Te encuentras bien?

Cassie parpadeó y se dio cuenta de que Ian la miraba con el ceño fruncido y de que había estado tan sumida en sus pensamientos que había destrozado su sándwich al intentar ponerle mantequilla.

–Oh, vaya –Cassie soltó una carcajada–. Discúlpame. Estaba pensando en cierto asunto y se me ha ido la mano.

–Pues cualquiera habría dicho que odiabas esa rebanada de pan...

Cassie volvió a reír.

–Sí, supongo que el odio ha tenido algo que ver. Pero no estaba relacionado con el pan –afirmó.

Ian guardó silencio, y ella cambió de conversación.

–No sabía que los niños se te dieran tan bien. ¿Tienes algún sobrino?

Él sacudió la cabeza.

–No, me temo que soy hijo único. Pero hace poco estuve un rodaje donde tenían a un niño de la edad de Emily. Era el chico más encantador de la Tierra, y se encariñó conmigo en cuanto me vio... No sé por qué, pero le caigo bien a los niños.

Cassie no salía de su asombro. Por lo visto, se había equivocado radicalmente con él. Ian Shaffer estaba muy lejos de ser el hombre superficial que le había parecido. Tenía muchas facetas y muy distintas unas de otras, y ella ardía en deseos de conocerlas todas.

Nerviosa, se alegró de que la alimentación y el cuidado de la niña les ahorrara la necesidad de llenar el silencio los minutos siguientes.

Cuando terminaron de cenar, Ian se levantó para limpiar la mesa; pero ella se lo impidió.

–No te molestes, ya me encargo yo.

–Oh, vamos. Tú has preparado la cena, y es justo que te ayude a limpiar –protestó él–. De hecho, me comprometo a encargarme de la limpieza si me invitas a cenar otro día.

Cassie se quedó atónita.

–¿Quieres que te invite otra vez?

–Bueno, te aseguro que no rechazaría una invitación...

Cassie se apoyó a Emily en la cadera y se giró hacia Ian, que estaba metiendo la botella de agua en el frigorífico.

Le había dado la impresión completamente falsa. Se había acostado con él cuando apenas se conocían, y se había comportado como una mujer sin ningún tipo de inhibiciones. Obviamente, Ian esperaba repetir la experiencia.

Cassie entró en el salón, metió a la niña en el corralito y le dio su juguete preferido, un caballo de peluche. Un segundo después, oyó pasos a su espalda y tragó saliva. Había llegado el momento de sincerarse.

–Mira... me has tomado por algo que no soy.

El se cruzó de brazos, ladeó la cabeza y la miró con intensidad.

–¿Y por qué crees que te he tomado?

Cassie se sintió estúpida. Ni siquiera sabía por qué lo había invitado a cenar. Solo sabía que se sentía tan intimidada como excitada por su presencia. Pero intentó achacarlo al hecho de que, con excepción de Damon y de Grant, Ian era el primer hombre que ponía un pie en su nuevo domicilio. Se había mudado a la cabaña cuando Derek la abandonó para estar más cerca de la familia y no sentirse tan sola.

–Por una mujer diferente. Como me acosté contigo, piensas que quiero acostarme otra vez. –Cassie estaba muy nerviosa, pero intentó controlarse–. Pero yo no soy la mujer desinhibida y segura con quien pasaste una noche en el ático.

Él la miró de arriba a abajo y, a continuación, dio un paso adelante.

–Pues a mí me pareces la misma.

–Ian, yo…

–¿Por qué dices que no eres la mujer que estuvo conmigo en el ático? –la interrumpió.

Cassie se echó el cabello hacia atrás. Estaban tan cerca que notaba el calor de su cuerpo y el aroma de su loción de afeitado.

–Porque no lo soy. Normalmente, yo no me acuesto con el primer hombre que pasa.

–Ni yo he insinuado lo contrario… Pero no niegues lo que eres, por favor. Una mujer sexy, enigmática, segura.

Ella sacudió la cabeza.

–Soy cualquier cosa menos segura.

Ian le puso las manos en las mejillas y le provocó un escalofrío de placer. Cassie se dijo que, por mucho que anhelara su contacto, no se podía permitir el lujo de dejarse llevar. ¿Es que no había aprendido la lección? Su experiencia con Derek le había enseñado que la atracción sexual no era base suficiente para una relación seria, y ella no quería otra cosa. Además, estaba demasiado ocupada con las carreras de Tessa y la crianza Emily.

Pero le encantaban las manos de aquel hombre.

–Pues estuviste increíblemente segura en el ático…

Ella intentó hablar, y él le puso un dedo en los labios.

–Puede que no seas así todo el tiempo, pero lo fuiste aquella noche –continuó–. Y tengo la sospecha de que la mujer de aquella noche es la verdadera Cassie Barrington. De hecho, te confieso que la pasión que demostraste y tu capacidad para controlar la situación hicieron de ese encuentro el momento más excitante de toda mi vida.

Cassie quiso decir que se equivocaba, que no era así. Pero se descubrió incapaz de decir nada cuando él se inclinó un poco más y la besó tan lenta y embriagadoramente que se tuvo que aferrar a sus brazos para no perder el equilibrio.

–No, Cassie… –susurró él contra su boca–. Nunca he pensado que te acuestes con el primer hombre que pasa. Tú eres mucho más complicada. Lo nuestro es mucho más complicado.

Ian le mordió suavemente el labio inferior y, acto seguido, se fue.

Cassie se agarró al respaldo del sofá y suspiró. No sabía lo que había pasado, pero en los ojos de Ian se había encendido una llama que no tenía nada que ver con el deseo. La había mirado como si estuviera luchando contra algún tipo de demonio personal imbatible.

Frunció el ceño y se dijo que, aunque fuera así, no era asunto suyo. Ya se había buscado bastantes problemas al acostarse con él.

Miró a Emily, que estaba jugando con su caballo de peluche, y se apoyó en el borde del corralito. Su hija era todo lo que le importaba. No necesitaba a nadie más. Y, desde luego, no necesitaba a un hombre como Ian Shaffer.

Sería mejor que se olvidara de él.

Pero iba a ser difícil, porque el deseo se estaba transformando en algo que le encogía el corazón

—¿Mis chicas están preparadas?

Cassie desensilló a Don Pedro y lanzó una mirada a su padre. Damon acababa de entrar en los establos donde, en otros tiempos, había pasado casi todos los días de su vida.

En principio, los Barrington habían acordado que dejarían las carreras al final de la temporada y que él vendería sus preciados purasangres. Había recibido ofertas muy generosas, incluida una de su principal competidor, Jake Madison. Pero Cassie dudaba que su padre se los vendiera a Jake. Y, por otra parte, no parecía tener ninguna prisa por venderlos.

—Tan preparadas como podemos estar —respondió Tessa, que ya había empezado a cepillar su montura—. Mis tiempos son mejores que nunca. Creo que Preakness será pan comido.

Damon sonrió y se metió las manos en los bolsillos de sus desgastados vaqueros. Era un mito del mundo de la hípica y tenía más dinero del que podía gastar en varias vidas, pero no había perdido el contacto con la realidad.

—Sé que dejarás bien alto nuestro apellido, Tess.

Damon acarició la crin del caballo.

—¿Qué estás haciendo aquí, por cierto? —se interesó Cassie—. Supuse que estarías vigilando a tus amigos de Hollywood…

Damon sonrió, dio una palmadita a Don Pedro, y a continuación, le pasó un brazo por los hombros a Cassie.

—Los técnicos de iluminación están trabajando

en el salón de la casa. La escena que rodaron el otro día no quedó como esperaban, así que la tienen que rodar otra vez –explicó.

–Vaya, qué pena... –dijo Cassie, que estaba fascinada con todo el proceso de rodaje–. Me gustaría estar presente, pero tengo que ir al almacén, a comprar más heno.

Cassie sabía que ir al almacén implicaba algo más que perderse la escena de la tarde: implicaba perder la oportunidad de ver otra vez a Ian. Pero pensó que era mejor así. La cena y el beso de la noche anterior la habían dejado más confundida que nunca.

–Ahora que lo pienso, me llevaré a Emily y echaré un vistazo a la nueva tienda de juguetes –continuó–. Está aprendiendo a caminar... ¿Quién sabe? Puede que encuentre algo que le sirva para apoyarse y fortalecer las piernas.

Damon rio.

–Cuando empiece a caminar, se convertirá en la dueña del rancho.

Cassie sonrió a su padre.

–Ardo en deseos de verla montar por primera vez.

Tessa se puso al otro lado de Don Pedro, para seguir cepillándolo.

–¿Por qué no la llevas a montar ahora? Hace un día precioso, y estoy segura de que le encantaría. Además, ya hemos terminado con el trabajo.

La idea le pareció tentadora.

–No sé... Es importante que compre ese heno.

–Enviaré a Nash a comprarlo –intervino su padre–. No le importará.

Cassie apoyó la cabeza en el hombro de Damon.

–Gracias, papá...

Damon le dio un beso en la frente.

–De nada… Anda, llévate a mi nieta y empieza con su adiestramiento.

Cassie estaba tan entusiasmada ante la que iba a ser la primera experiencia a caballo de su hija que salió corriendo hacia la mansión.

Como de costumbre, entró por la puerta de la cocina. Linda estaba allí, lavando los cacharros.

–Hola, Linda…

–Hola, cariño.

Cassie miró a su hija, que jugaba en el corralito.

–Me voy a llevar a Emily –anunció–. Así dejará de molestarte…

–No es ninguna molestia. –Linda dejó una sartén en la encimera, se secó las manos y se giró hacia Cassie–. La acabo de meter en el corralito… Hemos estado en el salón, mirando a los técnicos del equipo de cine. Le encantan los focos…

Cassie sacó a la niña y le dio un beso en la mejilla.

–Estoy segura de ello. Y también lo estoy de que le encantaría acercarse a gatas y tirarlos todos.

Linda soltó una carcajada y se inclinó para abrir el horno.

–Las magdalenas de arándanos ya están hechas… ¿Quieres una?

Cassie pensó que no quería una, sino seis por lo menos. Pero quería bajar de peso, así que rechazó el ofrecimiento.

–Quizá más tarde –contestó–. Tengo algo importante que hacer… Dar a mi hija su primera experiencia a caballo.

Linda sonrió de oreja.

–Guau… Qué divertido. A Emily le va a encantar.

–Eso espero –dijo–. Bueno, volveré dentro de un rato…

Cuando regresó a los establos, Tessa ya había ensillado a Oliver, el caballo más viejo y tranquilo que tenían. Cassie estaba tan contenta que no cabía en sí de gozo.

–Ya está preparado –anunció su hermana.

Cassie dejó a Emily en manos de Tessa, montó y recuperó a su hija. Después, la sentó entre sus muslos y tras, alcanzar las riendas, dijo:

–¿Puedes sacar unas cuantas fotografías cuando estemos en el cercado?

Tessa sacó su teléfono móvil y lo agitó.

–Eso está hecho… Pero mírala… Ya parece una amazona.

Cassie salió de los establos y puso a Oliver al trote. La niña empezó a aplaudir con sus manitas.

–Esto es divertido, ¿verdad? Cuando seas mayor, te compraré un caballo para ti… Y será el mejor de tus amigos.

Cassie no supo cuánto tiempo estuvieron montando, Emily olvidaría la experiencia con el paso de los años, pero ella lo recordaría para siempre.

Pensó en su madre y abrazó a su hija un poco más. Al menos, Rose le había dejado un montón de recuerdos y fotografías en las cajas del ático.

El ático.

Cassie tragó saliva. Aquel lugar ya no era un sitio lleno de cajas y muebles viejos. Ahora era el sitio donde se había entregado a un hombre al que deseaba con toda su alma.

Ian le gustaba mucho, y deseaba que su relación no fuera una aventura pasajera. Había descubierto que necesitaba la compañía de un hombre, y no solo por motivos sexuales. Necesitaba las conversaciones, el coqueteo, las bromas, todo.

Mientras regresaban a las caballerizas, vio que

Ian y Lily Beaumont se dirigían a la mansión de su padre. La impresionante actriz soltó una sonora carcajada por algo que Ian había dicho, y Cassie tuvo que hacer un esfuerzo para no sufrir un ataque de celos.

Una mujer de la edad de Ian Shaffer. Una mujer con un cuerpo maravilloso. Una mujer perfecta para él. Cassie deseó ser distinta. Pero luego se dijo que era lo que quería ser, y que no se habría cambiado por otra.

Tenía su trabajo y tenía a Emily, que en ese momento era su principal ocupación.

Lo demás no importaba.

—Sinceramente, estoy sopesando tu oferta y la oferta que me ha hecho otra persona —dijo Lily.

Ian apoyó la mano en el pomo de la puerta.

—Sí, ya lo sé. Estoy bien informado.

—Como comprenderás, no es una decisión que pueda tomar de la noche a la mañana, pero me alegra que estés aquí, porque así podremos hablar de lo que espero en un agente artístico.

Ian asintió. Aparentemente, estaba interesada en él.

—Podemos hablar cuando quieras…

Lily sonrió.

—Bueno, ahora tengo que rodar una escena, pero… ¿qué te parece si comemos o cenamos juntos uno de estos días?

Ian le devolvió la sonrisa y abrió la puerta.

—Me parece perfecto. Avísame cuando estés libre.

—Así lo haré…

Lily se despidió y entró en la casa. Ian dio media vuelta porque tenía un asunto urgente entre manos.

Un asunto con la cara de la belleza que había visto unos minutos antes, mientras se dirigían a la mansión. Un asunto de cabello rojo que montaba a caballo con una niña.

Aquella mujer había destrozado su tranquilidad emocional. Monopolizaba sus pensamientos cuando no estaba cerca; y, cuando lo estaba, lo dejaba sin pensamientos y hasta sin aire.

Había algo en ella que le llegaba a lo más profundo del corazón. Algo que no podía identificar. Sin embargo, ahora sabía una cosa: que se había equivocado al pensar que Cassie Barrington era como su madre. Su madre jamás se había tomado la molestia de darle el afecto que Cassie le daba a Emily. Estaba demasiado ocupada con su búsqueda eterna de un príncipe azul.

¿Qué sabía él de niños y necesidades de niños? ¿Y por qué se lo preguntaba? Teóricamente, su presencia en Stony Ridge era pasajera. Por mucho que le gustara Cassie Barrington, no podía permitir que las cosas fueran demasiado lejos.

Horas después, tras redactar un contrato con la esperanza de que Lily Beaumont lo firmara algún día, salió del remolque y se dirigió a la cabaña de Cassie. Ya era de noche, y todo estaba tranquilo. La esposa y la hija de Max habían llegado por la tarde, y seguramente estarían descansando, al igual que las familias del director y el coproductor. Anthony Price y Bronson Dane podían estar en lo más alto de la industria cinematográfica, pero siempre tenían tiempo para los suyos. Ian, que los envidiaba en secreto, subió al porche de la cabaña de Cassie y llamó a la puerta. Luego, echó un vistazo al reloj y se sorprendió al ver que era muy tarde. No eran horas para hacer visitas.

Sin embargo, Cassie abrió al instante. Se había soltado el pelo y llevaba una camiseta larga que ofrecía una vista preciosa de sus piernas.

—Lo siento mucho —se disculpó Ian—. Acabo de ver la hora que es…

—Bueno, no preocupes… ¿Todo va bien?

—¿Cómo? Ah, sí, claro… Es que me puse a trabajar y perdí el sentido del tiempo. Luego he salido del remolque, he empezado a andar y… en fin, aquí me tienes.

Cassie sonrió.

—Pues entra… Emily ya está acostada.

Ian entró y notó un aroma que llamó poderosamente su atención.

—¿Estás preparando galletas?

Cassie cerró la puerta.

—Sí, me ha parecido que serían un buen regalo de bienvenida para las familias que acaban de llegar —respondió.

—Estoy seguro de que te lo agradecerán…

—Bueno, no puedo decir que sea tan buena cocinera como Linda, pero me gusta preparar dulces cuando tengo tiempo libre.

Ian la miró de arriba abajo, incapaz de refrenarse. ¿Cómo era posible que fuera tan abrumadoramente sexy? Y tan insegura a la vez, porque sabía que, si le hubiera dicho lo mucho que le gustaban sus curvas, no le habría creído.

Cassie vio que la miraba y se bajó la camiseta para taparse.

—Será mejor que me cambie de ropa…

—No, no… —Él alzó una mano—. Estás en tu casa y puedes vestir como quieras. Además, yo ya he visto todo lo que se puede ver.

Ian se acercó y le dio un beso en los labios.

–Y también lo he probado todo –prosiguió–. Lo digo por si no lo recuerdas.

Ella tembló ligeramente.

–Claro que lo recuerdo.

Ian dio un paso atrás.

–Discúlpame… Te aseguro que no había venido con intención de…

–No te preocupes, Ian. Lo entiendo de sobra.

–No, no lo entiendes. No es que no te desee, Cassie…

Ella sacudió la cabeza.

–No busques excusas, por favor. No es necesario. Soy una mujer adulta, perfectamente capaz de afrontar la verdad –afirmó–. Además, se supone que ya nos conocemos un poco, y que hemos sobrepasado la fase de las inseguridades…

–Sí, bueno… Sinceramente, no sé por qué he venido, pero…

Ella volvió a sonreír.

–Puedes venir cuando quieras, Ian.

Ian se la quedó mirando con tanta intensidad como asombro. Aquella mujer era increíble. Cariñosa, generosa y paciente. La mujer más especial que había conocido.

–¿Por qué me miras así? –preguntó ella, frunciendo el ceño.

–Porque acabo de darme cuenta de que, poco a poco, me estás revelando todas las capas de tu personalidad. –Ian le acarició un brazo y le arrancó un escalofrío–. Yo no las quería ver. Quería que fueras inalcanzable. Quería que fueras inadecuada para mí… alguien a quien pudiera olvidar con facilidad.

Cassie no pudo decir nada.

–Pero no podré olvidar, Cassie. Ni te olvidaré a ti ni olvidaré lo nuestro.

Ian no le dio ocasión de responder. Reclamó su boca y ella se dejó llevar, pasándole los brazos alrededor del cuello.

En ese momento, supo que se iba a quedar un buen rato. Y que le iba a quitar la camiseta.

Capítulo Seis

Cassie no sabía lo que estaba haciendo, bueno, sabía lo que estaba haciendo y con quién lo estaba haciendo, pero no tenía ni pies ni cabeza. ¿No había decidido acaso que iba a mantener las distancias con él? ¿No se había dicho a sí misma que necesitaba tiempo para recuperarse?

Lo había decidido y se lo había dicho. Sin embargo, Ian despertaba en ella tal pasión que se sintió la mujer más feliz del mundo cuando se agarró el borde de la camiseta, se la quitó sin contemplaciones y la lanzó al suelo.

Unos ojos oscuros como la noche devoraron su cuerpo, que ahora estaba desnudo, salvedad hecha de unas braguitas rojas.

La antigua Cassie se habría tapado rápidamente. La nueva, se dejó mirar.

—Podría admirarte hasta el fin de mis días —dijo él con voz ronca.

Ian se empezó a quitar la camisa. Cassie llevó las manos al cinturón de sus pantalones, se lo desabrochó y le bajó la cremallera.

—Sabes que esto es más que sexo, ¿verdad? —preguntó él.

Ella no dijo nada.

—Quiero que lo sepas —continuó—. Es mucho más… Por lo menos, para mí.

Esta vez, Cassie asintió con lágrimas en los ojos.

Aunque la etiqueta que Ian quisiera poner a su relación no le interesaba tanto en ese momento como el hecho de que le hubiera empezado a bajar las braguitas.

–¿Dónde está tu habitación, Cassie?

–Al fondo. Es la última puerta a la derecha.

Ian le dio un beso en el cuello y la llevó por el pasillo hasta su dormitorio.

La lámpara de la mesita de noche, que estaba encendida, daba un tono cálido a la estancia. Ian cerró la puerta y la miró a los ojos con un destello de inseguridad que Cassie interpretó a la perfección.

Sabía lo que estaba pensando.

–Es la primera vez que invito a un hombre a esta habitación –le confesó–. Y tú eres el único hombre con quien querría estar.

Ian la besó apasionadamente y le puso las manos en la cintura. Ella saltó lo justo para cerrar las piernas a su alrededor, aunque segundos después ya estaban en la cama.

Entonces, Ian abandonó su boca y descendió hacia sus pechos, que empezó a devorar.

–Oh, Ian… –dijo ella entre jadeos–. No tengo…

–¿Sí?

–No tengo preservativos…

Ian la miró a los ojos.

–Maldita sea… Yo tampoco tengo.

Cassie se mordió el labio y dijo:

–Bueno, tampoco importa… Estoy tomando la píldora.

–Entonces, ¿por qué perdemos el tiempo con palabras?

Cassie llevó las manos a la cintura de Ian, que la penetró sin decir nada más. Ella cerró los ojos y soltó un gemido cuando él se empezó a mover.

–Mírame, Cassie –le ordenó–. Quiero que me mires mientras lo hacemos.

Cassie se dijo que no le costaría mucho, y cuando lo miró, vio algo más que sexo y pasión.

Ian se estaba enamorando de ella. Era posible que ni él mismo fuera consciente de lo que sentía, pero estaba allí, claramente escrito.

Él aumentó el ritmo de sus acometidas, y ella arqueó la espalda.

–Ian... yo...

–Sigue, cariño.

Cassie notó las primeras oleadas del orgasmo, pero se negó a cerrar los ojos. Ella también quería mirar. Quería ver hasta la última de sus reacciones.

Momentos más tarde, Ian llegó al clímax.

Cassie tragó saliva, con un nudo en la garganta.

Su relación estaba llena de inseguridades, pero había algo indiscutible: ya no hacía el amor con él por simple y puro deseo.

Se había enamorado de Ian Shaffer.

–Tengo que llegar pronto al plató –anunció Ian en voz baja.

Se levantó de la cama, alcanzó su ropa y se vistió. Cassie se incorporó y se apoyó en un codo, con la sábana justo por debajo de los pechos.

–¿Pronto? –preguntó ella, medio dormida.

–Sí... Tengo que hablar con Max antes de que empiece su jornada de trabajo.

Ian mintió, aunque era cierto que no se podía quedar. No podía quedarse en la cama y hacerle el amor otra vez mientras una niña dormía en la habitación contigua.

¿Qué sabía él de familias y niños?

Las carencias emocionales de sus padres y los sucesivos fracasos de sus matrimonios lo habían llevado a elegir un camino completamente distinto y a concentrarse en su profesión.

Pero Cassie Barrington se había interpuesto en ese camino. Y esperaba un grado de compromiso que él no le podía dar.

–¿Estás bien, Ian?

Él asintió y se puso los zapatos.

–Sí, por supuesto…

Cassie frunció el ceño, pero no dijo nada.

–Cerraré la puerta cuando salga –continuó él.

Incapaz de refrenarse, Ian cruzó la habitación, se inclinó sobre ella y le dio un beso en los labios. Luego, se apartó y salió del dormitorio.

Cuando llegó al porche de la cabaña, se detuvo y se apoyó en la barandilla.

Tenía miedo de Cassie, de Emily y de lo que sentía por ellas. Tenía miedo de que aquella mujer maravillosa se entregara a él por completo, sin hacer preguntas, como esa misma noche. Y, especialmente, tenía miedo de lo que había visto en sus ojos y de lo que ella pudiera haber visto en los suyos.

La quería con toda su alma, pero todo lo que sabía sobre la familia y las relaciones amorosas le hacía desconfiar de sus propias emociones e intenciones.

Aunque, por otra parte, ¿qué intenciones tenía?

Él nunca había soñado con tener un hogar. Era agente artístico, uno de los profesionales más respetados de Hollywood; y si no se concentraba en el trabajo, podía perder la oportunidad de representar a una de las actrices más importantes del sector.

Sacudió la cabeza, se apartó de la barandilla y se obligó a caminar hacia su remolque. Aún no había amanecido, y había niebla en los campos.

Tras ducharse y cambiarse se dedicó a contestar los mensajes de correo electrónico y a tomar notas de lo que tenía que hacer a lo largo de la semana, sin demasiada prisa. Odiaba admitir que estaba terriblemente confundido.

Sintiera lo que sintiera hacia Cassie, no iba a desaparecer con el paso del tiempo. Como mucho, se haría más fuerte.

Salió del remolque con un plan de acción, que aquel día iba a consistir en trabajar y concentrarse en las necesidades de su agencia.

Vio que los miembros del equipo se habían congregado junto a la puerta de las caballerizas y se acercó a Max y Lily, que estaban charlando sobre sus respectivos guiones.

—Buenos días —los saludó.

Max asintió y dijo:

—Anoche me pasé por tu remolque, pero no te encontré. ¿Estabas de fiesta?

Por la mirada del actor, Ian supo que su pregunta iba con segundas. Pero hizo caso omiso y se salió por la tangente.

—¿Necesitabas algo?

Max se encogió de hombros.

—No, nada que no pudiera esperar… Será mejor que os deje. Tengo que hablar con Bronson antes de que empecemos a rodar.

Ian sonrió para sus adentros. Max le acababa de hacer un buen favor. Era obvio que se había ido para que él estuviera a solas con Lily.

—He consultado el plan de rodaje y he visto que vais a estar libres a partir de las tres de la tarde.

Lily asintió.

—Sí, así es… ¿Quieres que nos veamos?

—Por supuesto —contestó, encantado—. ¿Prefieres

que nos quedemos aquí? ¿O que vayamos a cenar a algún sitio?

–Que vayamos a cenar a algún sitio. Con un poco de suerte, podremos charlar sin que nos interrumpan todo el tiempo.

De repente, Lily dejó de mirarlo a los ojos y desvió la vista hacia un punto situado a su espalda, como si algo o alguien hubiera llamado su atención. Ian no supo qué era hasta que, un segundo después, sus labios se curvaron en una sonrisa que le iluminó la cara.

Nash.

Ya no había ninguna duda. La estrella de Hollywood y el mozo de cuadra de los Barrington se traían algo entre manos.

Pero Ian pensó que no era asunto suyo. Solo quería que las cosas siguieran tranquilas y que su relación no interfiriera con el rodaje de la película ni desconcentrara tanto a Lily como para dejara de estar interesada en sus servicios profesionales.

–Entonces, salgamos.

Ella parpadeó.

–¿Cómo? ¿Qué has dicho?

–He dicho que salgamos a cenar –respondió–. ¿Te parece bien que pase a recogerte por la tarde?

Lily asintió.

–Sí, por supuesto…

Cuando Lily se fue, Ian se dio la vuelta y pilló a Nash mirando a la actriz. La expresión del mozo de cuadra era la de un hombre enamorado, y a Ian le dio un poco de pena. Lily y Nash eran de mundos demasiado diferentes.

Igual que Cassie y él.

¿Por qué eran tan difíciles las cosas?

Ian se quedó a un lado mientras los técnicos preparaban el lugar para el rodaje. Bronson estaba hablando con Max, y Lily se había puesto en manos de la estilista. Grant y Anthony se encontraban al fondo, colocando las balas de heno.

Mientras los miraba, se puso a pensar en Cassie.

No sabía si aquel día iba a estar ocupada, pero tenía intención de mantener las distancias con ella. Necesitaba tiempo para pensar. Si seguían adelante con su aventura, se encontrarían en una situación que podía llegar a ser muy problemática. Y no le quería hacer daño.

Momentos después, Damon se le acercó y le dijo en voz baja:

–Hacen una pareja perfecta, ¿no crees?

Ian miró a Max y Lily, que se estaban abrazando en mitad del pasillo, con los caballos asomando las cabezas por la parte superior de sus cubículos. Damon Barrington tenía razón. Hacían una pareja perfecta e interpretaban muy bien sus papeles.

–Sí, es verdad…

–¡Corten! –gritó Anthony.

Max y Lily se separaron, dando por terminada la escena. Damon echó un vistazo a su alrededor y frunció el ceño.

–Qué extraño…

–¿A qué te refieres? –se interesó Ian.

–A mis hijas. Me extraña que no estén aquí… ¿Las has visto hoy?

Ian sacudió la cabeza, obligado a mentir.

–No, no las he visto.

–Bueno, supongo que aparecerán en algún momento… No se cansan nunca de ver los rodajes. Están encantadas con la película.

–¿Y tú? –preguntó Ian–. ¿También estás encantado?

248

Damon asintió y se cruzó de brazos.

–No es exactamente lo que creía... Ruedan las escenas sin orden aparente, y algunas son mucho más largas que otras. Pero me interesa mucho el proceso.

Ian simpatizaba con Damon. Apreciaba su carácter fuerte y el hecho de que hubiera enseñado a sus hijas a luchar por lo que querían. Además, se había encontrado en una situación muy difícil cuando su esposa falleció y lo dejó a cargo de dos niñas, pero lo había afrontado tan bien que Tessa y Cassie se habían convertido en dos mujeres magníficas.

Una vez más, Ian sintió envidia.

Su padre nunca lo había animado a hacer nada, ni desde luego lo había apoyado en ninguna cosa. Y se preguntó cómo habría sido su vida si hubiera tenido un padre como Damon.

Pero el pasado era el pasado. No se podía cambiar.

Ian se inventó una excusa para marcharse de allí y se despidió del patriarca de los Barrington porque no quería estar presente cuando llegara Cassie.

Y tenía un buen motivo para ello.

Estaba seguro de que, si se encontraban delante de toda la gente, no podría ocultar que se había enamorado. La mirada lo traicionaría.

¿A quién estaba engañando?

Hiciera lo que hiciera, no sabía estar lejos de Cassie. La echaba tanto de menos que sus pensamientos volvieron a ella constantemente durante la cena con Lily.

Su única preocupación al final de la velada era saber qué había estado haciendo Cassie en su ausencia. Y, por si fuera poco, Lily no había firmado el contrato. Lo había leído con atención y se había mostrado de acuerdo con las cláusulas, pero había dicho que necesitaba estudiar la otra oferta antes de tomar una decisión definitiva.

En realidad, no era una mala noticia. Significaba que Lily seguía interesada en él. Sin embargo, habría preferido solventar el problema para poder olvidarlo y pasar a otros asuntos. Por ejemplo, a la mujer que lo estaba volviendo loco.

Tras acompañar a Lily a su remolque, Ian se dirigió a las cabañas. Cassie estaba en el porche, cambiando una bombilla.

–Hola… –la saludó–. ¿Quieres que te ayude?

–No hace falta.

Ella se puso de puntillas, de tal manera que el top rojo se encogió y ofreció a Ian una vista preciosa de la cintura de Cassie.

–Deja que lo haga yo. Soy más alto y me será más fácil.

Ella no le hizo caso. Quitó la bombilla fundida, puso la nueva y se giró hacia él.

–Estoy acostumbrada a hacer las cosas por mi cuenta. Además, no me gusta ser el segundo plato de nadie.

Él frunció el ceño, confundido.

–¿Cómo?

Ian no tenía la menor idea de lo que pasaba. Era obvio que estaba enfadada con él, pero desconocía el motivo.

–Olvídalo, no importa.

–Pero…

Ella abrió la puerta de la cabaña y entró a toda prisa, con la evidente intención de cerrarla antes de que Ian pudiera pasar.

–Cassie...

–Estoy bastante cansada. Pero gracias por venir.

Ian no se dio por derrotado. Pasara lo que pasara, no la podía dejar así, tan disgustada. Así que se movió con rapidez para evitar que cerrara la puerta.

–Voy a entrar, Cassie.

Ella no se resistió. Sencillamente, se puso a un lado y le dejó pasar. Emily estaba en el salón, dentro del corralito, jugando con sus peluches.

–Tengo que acostar a la niña –dijo Cassie–. Puede que tarde un rato.

Ian supo lo que quería decir. Era un eufemismo de sus verdaderas intenciones, que consistían en tardar más de la cuenta para que él se preocupara.

Pero no le importó. No se iba a ir a ninguna parte. Sus sentimientos le importaban demasiado.

Miró el lugar, que estaba bastante ordenado, y se puso a recoger juguetes sin pensar lo que hacía. Luego, los metió en el corralito de Emily, puso bien los cojines del sofá y llevó a la cocina la taza y el platillo que estaban sobre la mesa.

Cuando volvió al salón y se sentó, se sorprendió con una sonrisa en los labios.

¿De dónde había salido esa veta doméstica? Ni siquiera se había planteado la posibilidad de ayudar a Cassie; simplemente, lo había hecho. Y no lo había hecho porque estuviera enfadada, sino porque quería facilitarle las cosas.

Ian no sabía demasiado de su vida anterior. Solo sabía que estaba divorciada y que su exmarido le había robado la alegría.

Pero eso iba a cambiar.

Cassie merecía ser feliz. Y, mientras él estuviera en el rancho, haría lo posible por devolverle la sonrisa.

***

No estaba celosa.

Una vez más, Cassie se intentó convencer de que no estaba celosa y de que el hecho de que Ian y Lily hubieran salido a cenar no significaba nada.

Pero fracasó.

Aunque Ian no fuera exactamente su pareja ni le hubiera prometido amor eterno, era obvio que tenían un vínculo especial. Lo había visto en sus ojos la noche anterior. Lo veía todo el tiempo. Y él era tan consciente de ese vínculo como ella.

Cuando terminó de bañar a Emily, la secó, le puso el pijama, le dio el biberón y, por último, le empezó a cantar una nana para que se durmiera.

Era el momento de la noche que más le gustaba. Su hija y ella, solas, en la intimidad. Cassie desafinaba con alguna frecuencia y, de vez en cuando, se le escapaba un gallo; pero no parecía que a Emily le importaran esas cosas. A veces alzaba sus manitas y le tocaba la cara o los labios.

El ritual se repetía todas las noches, y Cassie no lo iba a cambiar por el simple hecho de que Ian estuviera en el salón.

Antes de que Emily se quedara dormida, la tumbó en la cuna y le dio un beso en la frente. Después, esperó unos minutos, salió de la habitación, se arregló un poco el pelo y se dirigió a la escalera. Cuando llegó al salón, descubrió que Ian estaba sentado en el sofá, con los ojos cerrados y la cabeza en el respaldo. Había recogido los juguetes de la niña y los había metido en el corralito.

No lo pudo evitar. No quería que un acto tan sencillo como ese le llenara los ojos de lágrimas. No debía hacerse ilusiones con su relación. Pero, por mucho que le disgustara y muy inconveniente que fuera, se había enamorado de Ian Shaffer.

Entonces, él oyó sus pasos y abrió los ojos.

–Gracias por recoger los juguetes –dijo Cassie.

Ian se puso recto y dio una palmadita en el sofá.

–Siéntate.

A Cassie no le gustaba que le dieran órdenes, pero tampoco se iba a comportar como una adolescente enfadada con un novio, así que se sentó en el extremo contrario.

–¿Qué quieres, Ian? No tengo tiempo para juegos.

Él la miró fijamente.

–No estoy jugando contigo. Ni sé por qué estás tan enfadada.

Cassie suspiró.

–¿Sabes por qué me divorcié?

Ian sacudió la cabeza y pasó un brazo por encima del respaldo del sofá.

–No, no lo sé.

–Me divorcié porque mi esposo se cansó de mí. No estaba hecho para casarse y tener hijos… Me enteré de que me había estado engañando todo el tiempo. Se acostaba con otras mujeres, pero yo estaba tan ciega que no lo quería ver.

–Cassie…

–No… –Cassie alzó una mano–, deja que termine.

Ian asintió.

–Derek se marchó dos meses después de que yo diera a luz. Me dejó una nota y se fue, sin más. Decía que yo había dejado de ser la mujer de la que se había enamorado, que ya no me esforzaba por ser sexy ni atractiva… Me acusó de ser culpable de nuestra ruptura —continuó—. Pero ahora sé que fue un cobarde, y me alegra que se haya ido. No quiero que Emily crezca con una madre que se contenta con menos de lo que merece.

Ian la dejó hablar.

—Quiero que mi hija sea consciente de la existencia del amor y de su importancia... Mis padres se enamoraron y fueron muy felices durante todo su matrimonio. Yo quiero lo mismo para mí, y no cejaré en mi empeño. Pero tampoco me voy a comportar como una idiota mientras espero a que llegue.

Ian tragó saliva sin dejar de mirarla. Había atado cabos y solo cabía una posibilidad: Cassie estaba enfadada con él porque se había enterado de su cena con Lily y había llegado a una conclusión errónea.

—Yo no estoy jugando contigo, Cassie —insistió—. No he engañado nunca a ninguna mujer, ni he fingido ser algo que no era.

Cassie sacudió la cabeza y se levantó.

—Olvídalo. No debería haber dicho nada. No es como si tú y yo estuviéramos comprometidos...

Ian saltó del sofá y la agarró de los hombros antes de que Cassie le pudiera dar la espalda.

—Cassie, sé que estás celosa de Lily, pero es terriblemente injusto por tu parte. He quedado con ella para hablar de negocios. Sabes muy bien que quiero que me contrate, y lo sabes porque te lo dije yo mismo. De hecho, Lily Beaumont es el principal motivo por el que decidí quedarme en Stony Ridge.

Cassie abrió la boca para decir algo, pero no tuvo ocasión.

—He estado varias horas intentando convencerla. Hemos repasado hasta la última cláusula del contrato y discutido exhaustivamente sobre las ventajas de que me convierta en su agente artístico. Pero, ¿sabes una cosa? No he dejado de pensar en ti. Me preguntaba qué estabas haciendo, dónde estabas y cuánto tiempo faltaba para que nos volviéramos a ver.

Ella se relajó un poco y lo miró con algo parecido a un destello de esperanza. A Ian se le encogió el corazón. Sabía que Cassie necesitaba estar segura de que podía confiar en él. Su exmarido le había hecho daño, y ahora desconfiaba de los hombres. Pero él estaba dispuesto a ser paciente.

–Lo siento –se disculpó ella en voz baja–. No tenía derecho a enfadarme contigo. No me debes nada. No me has prometido nada y, en consecuencia, tampoco tengo nada que esperar.

Ian le dio un beso cariñoso y apoyó la cabeza en su frente.

Cassie se estremeció y él sintió la necesidad de asegurarle que todo iba a salir bien. Pero, ¿cómo podía asegurar tal cosa, si ni siquiera tenía intención de quedarse en el rancho?

–No sabes cuánto odio lo que Derek me ha hecho –prosiguió ella–. Me ha convertido en una mujer amargada, y no quiero ser así.

Ian sacudió la cabeza.

–Tú no eres una mujer amargada, Cassie. Solo eres cauta, y es lógico que lo seas. Ya no se trata solo de ti, también tienes que pensar en los intereses de Emily.

Ian pensó en Derek y lo odió con tanta fuerza que sus ojos brillaron como los de un tigre. La inseguridad de Cassie era culpa suya. Y, de haber podido, le habría dado una buena lección.

–¿Por qué me miras con tanta intensidad? –preguntó ella.

Esta vez fue él quien suspiró.

–Cassie, me importas mucho. Me importas mucho más de lo que pensaba, y creo que deberíamos hablar sobre nuestra relación.

Cassie soltó una risita.

—Eso ha sonado como un diálogo de novela romántica…

Ian se encogió de hombros.

—Es posible, pero no quiero hacerte daño.

Cassie asintió.

—No sé qué decir, Ian… Tú también me importas. Estoy tan insegura porque todavía no he superado mi divorcio y porque me prometí que no volvería a mantener una relación seria con nadie. Pero aquí estamos. No puedo negar lo que siento.

Él le acarició un brazo con suavidad.

—Pero tengo tanto miedo… —continuó Cassie.

—¿De qué?

Ian no quería presionarla, pero necesitaba saberlo. Le importaba demasiado como para dejarlo pasar. Ella le importaba demasiado.

—De que haces que me sienta especial.

Ian pensó que no podía haber elegido una palabra más adecuada.

Especial.

Efectivamente, Cassie Barrington era especial en muchos sentidos. Lo era porque, cuando estaba con ella, se sentía más vivo que nunca. Lo era porque había conseguido que su profesión pasara a un segundo lugar en su escala de intereses. Lo era porque había logrado que olvidara sus traumas familiares y se empezara a enamorar de una madre soltera.

Además, Cassie tenía un efecto inspirador. Lo ayudaba a ser mejor persona y a preocuparse por las necesidades de los otros.

—Tú también haces que me sienta especial. Y te aseguro que me tomo muy en serio nuestra relación.

–¿Nuestra relación? ¿Qué quieres decir con eso?

Ni el propio Ian conocía la respuesta a esa pregunta. Súbitamente, lo quería todo: su profesión, su estilo de vida, Cassie y Emily.

Por supuesto, había una parte de él que estaba aterrorizada y que no deseaba otra cosa que huir y volver a Hollywood. Pero no era la parte más importante. De momento, se quedaría con ella e intentaría entender lo que le estaba pasando.

–Quiero decir que me importas mucho más de lo que me ha importado nunca ninguna mujer. –Ian se inclinó y le dio un beso en los labios–. Y quiero decir que te voy a llevar a la cama ahora mismo, para demostrarte lo mucho que significas para mí.

Ian le puso las manos en la cintura y la apretó contra su cuerpo, sin más intención que hacerla feliz y devolverle la sonrisa. Pero unos segundos más tarde, cuando ella le pasó los brazos alrededor del cuello y le acarició el pelo, no se pudo resistir a la necesidad de reclamar su boca.

Luego, la tomó de la mano, la levantó del sofá y la llevó hacia el dormitorio, decidido a cumplir la promesa que le había hecho.

Capítulo Siete

El día no podía ser más perfecto. El cielo estaba despejado, el sol brillaba con fuerza y la temperatura había ascendido a unos dieciocho grados más que agradables. Un contexto ideal para que Tessa Barrington ganara la carrera de Preakness Stakes y diera un paso casi definitivo hacia la consecución del sueño de toda su vida, la Triple Corona.

Pero, por muy buen tiempo que hiciera, Cassie sintió la misma emoción que sentía cada vez que Tessa estaba a punto de correr. Todo estaba lleno de expectación. Los movimientos de los caballos esperando que dieran el pistoletazo de salida; el denso aroma de la paja; la tensión de los jinetes, que intercambiaban observaciones de última hora con sus preparadores.

Y eso era exactamente lo que las dos hermanas acababan de hacer. Cassie estaba convencida del triunfo de Tessa, pero la suerte podía cambiarlo todo en cualquier momento, y tenían demasiada experiencia como para pecar de triunfalistas.

No se podían dormir en los laureles. La única carrera que importaba era la carrera que estaba a punto de empezar.

Cassie miró a Tessa y pensó que, pasara lo que pasara, se enorgullecía de su hermana y de lo que habían conseguido juntas. Pero quería la Triple Corona tanto como ella. Entre otras cosas, porque mejo-

258

raría su reputación como adiestradora y podría aprovechar esa reputación para dar un impulso a su proyecto: la academia para niños con discapacidades.

Por supuesto, Cassie tenía otras preocupaciones. Empezando por Jake Mason, el mayor competidor de Damon, que insistía en comprarle la cuadra; y terminando por cierto agente artístico que se había quedado en Stony Ridge para poder trabajar con tranquilidad. Casi todos los miembros del equipo de cine se habían ido a Baltimore a ver la carrera, así que el rancho iba a estar inusitadamente vacío.

Ya había salido de la pista cuando su padre se acercó a ella y le pasó un brazo por la cintura, lo cual agradeció. Siempre se ponía nerviosa en esos momentos, y la presencia de Damon la tranquilizaba.

–Estás temblando… –le dijo él al oído.

Cassie rio.

–No. Creo que el que está temblando eres tú.

Damon soltó una carcajada.

–Es posible…

Segundos después, se oyó el disparo de salida. Los caballos empezaron a correr, y Cassie los siguió ansiosamente con la mirada.

Don Pedro iba en cuarto lugar.

–Vamos, vamos… –susurró.

Tessa sobrepasó a dos de jinetes y se puso la segunda.

La voz del comentarista del hipódromo adquirió un tono dramático cuando Tessa empezó a recortar la distancia con el caballo que iba por delante. Para entonces, el nerviosismo de Cassie se había transformado en una mezcla abrumadora de miedo y ansiedad que la instaba a cerrar los ojos. Pero los mantuvo bien abiertos.

Los dos caballos llegaron igualados a la meta, y se

produjo un momento de expectación que solo se rompió cuando el comentarista dijo por megafonía:

–Y el ganador es… ¡Don Pedro, por media cabeza!

Cassie empezó a saltar y a gritar como una niña.

–¡Hemos ganado! –exclamó su padre–. ¡Mis chicas han ganado!

Damon la abrazó con fuerza y la llevó a toda prisa hacia la zona de entrega de premios, donde Tessa ya los estaba esperando. Todo estaba lleno de periodistas. Y, en mitad de los periodistas, se alzaba la figura radiante de Grant.

Cassie miró a su futuro cuñado y se emocionó. Estaba tan contenta de que Tessa hubiera encontrado al hombre de sus sueños.

Pero sintió celos. Tessa tenía a Grant. ¿Y ella? ¿A quién tenía ella? ¿A quién podía acudir para celebrar sus triunfos o en busca de un hombro sobre el que llorar?

Su hermana la miró entonces y le guiñó un ojo. Cassie le devolvió el gesto y se obligó a sonreír, porque no era momento para estar triste. Estaban a punto de hacer historia. A punto de convertirse en las primeras mujeres que ganaban la Triple Corona.

Pero aún quedaba una carrera, la de Belmont. Y debía estar más concentrada que nunca.

Lo cual implicaba alejarse de Ian Shaffer. Porque si seguía con él y le partía el corazón, se derrumbaría por completo.

Ian estaba desesperado.

Cassie solo se había ausentado unos cuantos días, pero a él le habían parecido varias semanas. Y, si la había extrañado tanto durante una separación tan breve, ¿qué pasaría cuando llegara el momento de volver a Los Ángeles?

Por suerte, ya había vuelto a Stony Ridge. Había llegado la noche anterior, e Ian se abstuvo de pasar a saludarla porque pensó que estaría cansada y que querría dedicar un poco de tiempo a su hija. Pero le había costado mucho.

El sol estaba saliendo cuando se dirigió a los establos. Como millones de personas de todo el país, había encendido el televisor para ver la carrera de Preakness y había saltado de alegría cuando Don Pedro cruzó la meta en primer lugar. Sin embargo, el triunfo de las hermanas Barrington solo sirvió para que fuera más consciente de lo mucho que echaba de menos a Cassie. No sabía si su relación tenía futuro, pero sabía que quería estar más tiempo con ella.

—Buenos días —lo saludó Nash, que estaba limpiando las caballerizas.

—Buenos días…

—Cassie no ha llegado aún.

Ian sonrió. Cassie y él habían sido bastante discretos; pero, por lo visto, no tanto como para que el mozo de cuadra no se diera cuenta de lo que sucedía.

—Ah, mira quién está aquí…

Ian se giró y sonrió a Tessa, que acababa de llegar.

—Felicidades por tu victoria.

—Gracias.

Ian se acercó y le dio un abrazo.

—Fue una carrera muy intensa…

Tessa rio.

—Te aseguro que te habría parecido más intensa si hubieras estado en mi lugar —comentó—. Pero, ¿qué haces aquí? Es muy temprano…

Él se encogió de hombros.

–Estaba buscando a Cassie.

Tessa arqueó una ceja.

–Ha estado despierta casi toda la noche, por culpa de Emily. Le están saliendo los dientes de leche, y le duele tanto que no ha dejado de llorar.

–Entonces, Cassie estará agotada…

Tessa suspiró.

–Eso me temo. Me ofrecí a cuidar de la niña, pero se negó.

Ian sacudió la cabeza.

–No puede seguir así. Tiene demasiadas ocupaciones.

Nash pasó a su lado para poner una bala de heno contra la pared el fondo. Tessa miró a Ian y le dijo en voz baja:

–Sígueme. Tengo que hablar contigo.

Ian la siguió al exterior de las caballerizas, extrañado con la actitud de Tessa. Tenía la sensación de que lo había llevado afuera para que Nash no los pudiera oír.

–¿Y bien? ¿Qué me querías decir? ¿Que me rebanarás el cuello si hago daño a tu hermana? –preguntó él con una sonrisa.

Tessa rio.

–No, no es necesario que te lo diga. Eso se da por descontado –contestó.

–Entonces, ¿de qué se trata?

–¿Cassie te ha hablado alguna vez de lo que hizo por mí?

–No estoy seguro de saber a qué te refieres…

–Mi querida hermana me organizó unas pequeñas vacaciones sin consultarlo conmigo. Grant y ella pensaban que trabajaba demasiado y que necesitaba un descanso.

Ian sonrió.

–Vaya… Veo que es un problema típico de vuestra familia.

–Sí, los Barrington estamos hechos con el mismo patrón –admitió–. Pero, sea como sea, quiero devolverle el favor que me hizo.

–¿Y cómo se lo vas a devolver?

–¿Te puedes tomar unos días de vacaciones?

Ian se repitió mentalmente la misma pregunta. ¿Podía irse de Stony Ridge cuando aún no había conseguido que Lily firmara el contrato?

Tras sopesarlo unos segundos, llegó a la conclusión de que quedarse en el rancho no aceleraría las cosas. Lily ya le había advertido que necesitaba tiempo para pensar, y lo necesitaría tanto si se quedaba allí como si se marchaba. Además, ardía en deseos de estar a solas con Cassie. Los días pasados habían sido un infierno para él.

–Supongo que esa sonrisa es un sí… –dijo ella.

Ian asintió.

–Por supuesto que lo es. Y ahora, háblame de tu plan.

Cassie se acababa de sentar en el sofá, en su primer descanso de todo el día, cuando alguien llamó al timbre. Por suerte, Emily se había tranquilizado y se había puesto a jugar con sus peluches.

Se levantó, abrió y se quedó helada al ver a Ian.

Estaba tan atractivo como siempre. Llevaba unas gafas de sol y una camiseta negra, metida bajo los vaqueros, que le enfatizaba la anchura de los hombros.

En cambio, ella tenía un aspecto lamentable. Empezando por su top viejo, continuando por los pantalones de chándal y terminando por la coleta que se había hecho la noche anterior y que no se había quitado desde entonces.

No se podía decir que estuviera precisamente guapa.

–¿Me vas a invitar a entrar? ¿O prefieres que me quede aquí? –ironizó él.

–¿Estás seguro? A Emily le están saliendo los dientes de leche y se pone a llorar cada cinco minutos –le informó–. Y, en cuanto a mí…

Ian se acercó y le dio un beso en los labios.

–En cuanto a ti, nada. Estás preciosa.

Cassie se sintió tan halagada que todas sus preocupaciones desaparecieron. Lo dejó entrar y, cuando ya había cerrado la puerta, se llevó la segunda sorpresa del día: Emily se había puesto de pie y sonreía a Ian como si fuera la niña más feliz del mundo.

No se lo pudo creer.

–¿Será posible? ¿A él le sonríes y a mí me lloras toda la noche?

–No lo puede evitar. Soy irresistible –bromeó él.

Ian se acercó a la niña y se sentó a su lado.

–Hola, preciosa… ¿Has hecho pasar una mala noche a tu madre?

Emily se cayó de culo, rompió a reír y miró a Ian como esperando a ver su reacción. Parecía tan interesada como la propia Cassie, que aún no estaba segura de él.

Sin embargo, Ian reaccionó con absoluta naturalidad. Cerró las manos alrededor de su cuerpecito y la levantó suavemente.

A Cassie le pareció el hombre más sexy del mundo.

–Sé que ya te lo he dicho por teléfono, pero felicidades por vuestra victoria. Me alegro mucho por Tessa y por ti.

Cassie asintió. No le sorprendía la victoria, porque siempre entrenaban para ganar. Pero estaban a punto de conseguir la Triple Corona, y eso era completamente nuevo.

–Aún me estoy recuperando de la fiesta que celebramos en Baltimore –le confesó–. No he sido tan feliz en toda mi vida... Bueno, sí, el día en que nació Emily.

–Pues tengo una sorpresa para ti.

Emily alzó una manita y la cerró sobre la nariz de Ian. Cassie intentó quitarle a la pequeña, pero él sacudió la cabeza y dijo:

–No te preocupes, no me molesta en absoluto. Además, me encanta que me pince la nariz, porque mi voz sonará graciosamente aguda cuando le cuente a su madre el plan que tengo.

–¿De qué estás hablando?

–De tomarme con ella unas vacaciones.

–Ah... –dijo, atónita.

La niña le soltó la nariz, le quitó las gafas y se las llevó a la boca. Una vez más, Cassie intentó quitársela de encima y, una vez más, Ian se lo impidió.

–Solo son gafas. Puede chuparlas todo lo que quiera.

–Te las dejará llenas de babas...

Ian miró las gafas y se encogió de hombros.

–Bueno, qué se le va a hacer... –declaró con resignación–. Pero, ¿qué te parece mi idea? ¿Nos vamos unos cuantos días?

A Cassie le habría encantado decir que sí, pero estaba demasiado ocupada.

–Lo siento, Ian. No puedo.

–No me digas que vas a utilizar a Emily como excusa...

Cassie rio.

–Me temo que sí, aunque no es ninguna excusa. En otro momento, se la dejaría a Grant y a mi hermana… pero le están saliendo los dientes.

Ian la miró con intensidad.

–No espero que la dejes en el rancho, Cassie.

–No te entiendo…

–Quiero que venga con nosotros.

Cassie parpadeó, perpleja.

–¿Estás seguro de lo que dices?

–No lo habría dicho si no estuviera seguro.

Cassie se quedó sumida en la confusión. ¿Sería verdaderamente consciente de lo que le estaba proponiendo? Cuidar de una niña no era asunto fácil; sobre todo, en esas circunstancias.

–Deja de dar tantas vueltas a las cosas –continuó él–. ¿Quieres venir conmigo? ¿O no?

Cassie asintió.

–Sí, claro que sí, pero…

–Entonces, no se hable más. Ya me he ocupado de todo.

Ella arqueó una ceja.

–¿De todo?

Ian sonrió con malicia.

–Absolutamente de todo.

–Ah…

–Te pasaré a recoger dentro de una hora –anunció–. Guarda lo estrictamente necesario para pasar unos días fuera.

–¿Adónde vamos?

Ian dejó a Emily en sus brazos y se encogió de hombros.

–Ya lo descubrirás cuando lleguemos.

Cassie le quitó las gafas a la niña, pero estaban llenas de babas. Ian rio.

Cassie todavía se estaba riendo cuando la puerta

de la cabaña se cerró y ella se volvió a quedar a solas con su hija.

¿Unas vacaciones con Ian y Emily? ¿Cómo se iba a negar? ¿Y cómo no llegar a la conclusión de que eran algo más que unas vacaciones?

¿Ian le estaba diciendo que quería una relación estable? ¿O solo intentaba aprovechar cada minuto antes de despedirse de ella y volver a Hollywood?

Ian no sabía si estaba cometiendo un error o si había hecho bien al llevar a Cassie y a su hija a su casa de la costa.

Tessa le había ofrecido la cabaña de Grant, que estaba en un paraje particularmente bello de las montañas, pero Ian prefirió llevarlas a un sitio más personal; a un sitio donde Cassie pudiera ver cómo era el mundo donde vivía.

Sin embargo, ahora estaba muy nervioso. ¿Cómo reaccionaría al ver la casa? ¿Se sentiría fuera de lugar? ¿O se limitaría a disfrutar de las maravillosas vistas del dormitorio, cuyas ventanas daban al océano Pacífico?

Sorprendentemente, Emily estuvo bastante tranquila durante el vuelo. Cuando llegaron al aeropuerto, alquiló un coche.

Antes de detener el vehículo en el vado de la casa, se arriesgó a mirar a Cassie. Quería ver su primera reacción. Y no le decepcionó en absoluto. Parecía fascinada con el edificio blanco de dos pisos de altura que se alzaba junto a la playa. Tan fascinada como él cuando lo vio por primera vez, años atrás.

–Es precioso… –dijo ella–. No puedo creer que hayas conseguido alquilar una casa en la playa en tan poco tiempo y en esta época del año.

A Ian no le sorprendieron sus palabras. Quería que fuera una sorpresa, así que no le había dicho que la llevaba a su hogar. Pero había llegado el momento de decírselo.

–No es una casa alquilada. Es mi casa.

Cassie se quedó boquiabierta.

–¿Tu casa? ¿Por qué lo has guardado en secreto?

Ian no respondió. ¿Qué podía decir? ¿Que no se lo había comentado porque tenía miedo de que se asustara y se negara a viajar con él?

–No puedo creer que vivas en la playa –continuó ella–. Estarás encantado con este lugar…

Ian estaba absolutamente encantado. Pero, por primera vez en su vida, había empezado a considerar la posibilidad de vivir en otro sitio: en un rancho de caballos, al otro lado del país.

Mientras Cassie sacaba a Emily del coche, Ian llevó el equipaje al interior de la casa. Por suerte, había tenido la precaución de llamar a su ama de llaves para que preparara dos habitaciones y una salita de juegos para la pequeña. Y como su ama de llaves acababa de ser abuela, sabía exactamente lo que una niña de su edad necesitaba.

Ian sonrió y pensó que merecía un aumento de sueldo.

–Dios mío… Qué maravilla…

Cassie estaba en la entrada, aún más boquiabierta que antes.

–Me alegra que te guste –dijo él–. Por cierto, me tomé la libertad de llamar a mi ama de llaves para que arreglara la casa y trajera unas cuantas cosas para Emily. Espero que no te moleste.

–¿Molestarme? –dijo ella, echando un vistazo a su alrededor–. ¿Cómo me va a molestar? Esto es increíble… Muchas gracias, Ian.

Justo entonces, Emily se puso a gemir. Cassie le dio un beso en la frente e intentó tranquilizarla.

–Tranquila, preciosa... No pasa nada. Todo está bien.

Los gemidos de la niña se transformaron en un llanto que encogió el corazón de Ian y lo dejó sumido en un profundo sentimiento de impotencia.

No sabía qué hacer para consolarla.

Cassie lo miró a los ojos y sonrió.

–Lo siento. Supongo que no es la reacción que esperabas...

Ian le devolvió la sonrisa y puso una mano en la espalda de Emily.

–No esperaba nada, salvo estar unos días con vosotras. Además, es lógico que llore. Le están saliendo los dientes.

Cassie se quedó en silencio durante unos segundos y, a continuación, dijo:

–No sé qué he hecho para merecerte, Ian.

–Ser como eres –afirmó–. Mereces tener todo lo que quieras.

Ian quería decir mucho más, quería hacer mucho más y darle mucho más; pero se habían internado en un territorio desconocido, y era preferible que se tomaran las cosas con calma. Exactamente lo contrario de lo que habían hecho hasta entonces.

–¿Me puedes hacer un favor? –preguntó ella.

–Por supuesto.

–Abre el lateral de la bolsa de viaje y saca los analgésicos de la niña.

Ian los sacó, se los dio y se quedó en el umbral, mirando, mientras Cassie administraba la medicación a su hija.

No estaba seguro de que sus padres se hubieran tomado tantas molestias con él. Y no estaba seguro de que él supiera estar a la altura. ¿Sería capaz de ser lo que Cassie y Emily necesitaban? ¿Podría ser el amante y el padre que necesitaban?

No lo sabía, pero estaba dispuesto a aprender.

Porque, si no aprendía, no tendría más remedio que dejarlas marchar. Y quería formar parte de su vida. De la vida de Cassie y de la vida de Emily.

Capítulo Ocho

Tras tomarse el analgésico y echarse una pequeña siesta, Emily volvió a su felicidad habitual. Cassie se puso entonces el biquini y, acto seguido, le puso un bañador a su hija.

¿Por qué perder el tiempo entre cuatro paredes cuando estaban en la playa?

—¿Estás preparada para jugar un poco en el mar? —le preguntó Cassie mientras se dirigían a la puerta trasera—. Te va a gustar mucho, preciosa.

Cassie salió al exterior y se detuvo.

Ian estaba en la orilla, tan impresionante como de costumbre. Las gotas de agua que brillaban en su piel y el hecho de que el bañador se le pegara a sus fuertes y morenas piernas indicaba sin lugar a dudas que ya se había pegado un chapuzón.

Aquel hombre era un pecado. La tentaba de formas que jamás habría podido imaginar, y lograba que deseara cosas increíblemente atrevidas.

No podían ser más distintos, pero lo adoraba.

Además, su relación había cambiado mucho desde la noche del ático, cuando se dejaron llevar por el deseo. Se había vuelto más intensa. Había despertado emociones tan inquietantes como abrumadoras. Y la primera emoción de todas ellas tenía un nombre: amor.

Se había enamorado de aquel agente artístico que la había llevado a su casa y le había enseñado un pedazo de su mundo. Pero el factor determinante, el que la había obligado a admitir por fin sus sentimientos, se había presentado aquella misma mañana, cuando Ian le dijo que no la estaba invitando solo a ella, sino también a su hija.

¿Cómo no se iba a enamorar de él? No se parecía nada a su exmarido. No se parecía a ninguno de los hombres con los que había estado. Era especial.

Emily empezó a aplaudir y apuntó a Ian con un dedo. Cassie soltó una carcajada.

–Sí, preciosa, ya vamos…

La arena de la playa le acarició los pies cuando avanzó hacia el hombre que le había devuelto la capacidad de confiar. Estaba deseando que llegara la noche para acostar a su hija y hacer el amor con él. Cada vez lo deseaba más.

–Estás preciosa en biquini… –dijo Ian.

Ella se estremeció.

–Curioso. Yo estaba pensando que estás muy guapo en bañador.

–¡Mamá, mamá, mamá! –los interrumpió Emily.

La niña miraba el mar como si no pudiera esperar más tiempo, así que Ian se acercó y dijo:

–¿Me la dejas?

–Por supuesto…

Ian tomó a Emily, se metió en el agua y, acto seguido, le echó unas gotitas en las piernas. Emily reaccionó con una risa tan contagiosa que Cassie no tuvo más remedio que sumarse.

Aquello era justo lo que necesitaba. La invitación de Ian y la victoria de Preakness habían hecho que se diera cuenta de la inmensa suerte que tenía. Su vida era prácticamente perfecta. Incluso en lo tocante al propio Ian, porque sospechaba que, si solo la hubiera deseado, si solo la hubiera querido por su cuerpo, no la habría llevado a su hogar, no le habría pedido que los acompañara su hija y, desde luego, no se habría puesto a jugar con ella en el agua.

Cassie no quería hacerse ilusiones. Ni ponerlas, junto con todo su corazón, en un hombre. Pero, ¿cómo impedirlo, cuando su corazón era de Ian Shaffer desde aquella noche en el ático?

Decidida a disfrutar del momento, Cassie se tiró al agua, nadó hasta Ian y le pellizcó el trasero.

Él se dio la vuelta y la miró con intensidad. Por lo visto, iba a ser una tarde de lo más entretenida.

Cassie acostó a Emily cuando volvieron a la casa, pensando que estaría agotada tras toda una tarde de juegos; pero la niña empezó a protestar, y no se tranquilizó hasta que él la tomó entre sus brazos, le dio un biberón y la acunó con dulzura.

Y ahora, por fin, se había quedado dormida.

Ian miró sus labios pequeños y sus sonrosadas mejillas y sonrió sin poder evitarlo. Ya no le extrañaba la actitud de Cassie. Trabajaba de sol a sol porque quería que su hija tuviera una vida decente. Se sacrificaba para que ella fuera feliz. Y con la dificultad añadida de ser madre soltera.

Cassie no estaba sola. Tenía a su padre, a Tessa, a Linda y a Grant. Sin embargo, ¿quién la ayudaba de noche, al final de la jornada? ¿Quién la ayudaba en su casa?

Nadie.

Aunque eso estaba a punto de cambiar.

Se levantó de la mecedora donde se había sentado, tumbó a Emily en la cuna y la tapó con la sábana. La niña gimió, pero siguió dormida.

Ian soltó un suspiro de alivio.

Había cerrado acuerdos multimillonarios, se las había visto con los actores más importantes de Hollywood y hasta había fundado su propia agencia de representantes artísticos cuando solo tenía veinticuatro años. Pero nada era tan difícil como conseguir que una niña se durmiera.

Momentos después, salió de la habitación de la pequeña y cerró con suavidad.

Cassie estaba en el pasillo, apoyada en el marco de la puerta de su dormitorio, y lo estaba esperando.

—Lo has conseguido —dijo con una enorme sonrisa—. Estoy impresionada.

Ian se acercó y le llevó las manos al cinturón de la bata de seda, con la intención evidente de quitársela.

—Llevas una bata muy bonita… Lo cual me recuerda una cosa.

Ella le pasó los brazos con suavidad alrededor del cuello.

—¿Cuál?

—Que no te he visto desnuda desde hace días.

Ian le desabrochó el cinturón y empezó a acariciarle sus suaves y exuberantes curvas.

—Eres tan perfecta…

Él cerró las manos sobre sus nalgas y la apretó contra su cuerpo. Nunca se había sentido tan bien. Era completamente feliz.

Se empezaron a desnudar el uno al otro y Ian tuvo una revelación: Cassie Barrington no iba a ser la primera mujer con quien se acostara en su casa de la playa. Pero, cuando la tumbó en la cama y admiró sus ojos azules, se dio cuenta de que era la primera mujer a la que deseaba y había deseado de verdad.

La luz de la luna atravesaba las ventanas y daba un tono plateado a sus cuerpos. Cassie estaba completamente inmóvil, pero Ian sabía que no se había quedado dormida. Notaba el movimiento de sus pestañas contra el brazo y la irregularidad de su respiración.

¿En qué estaría pensando? No lo podía saber, aunque suponía que sus pensamientos serían más o menos los mismos que ocupaban su mente desde que habían hecho el amor por segunda vez.

—Cuéntame algo… —susurró ella.

En otras circunstancias, Ian habría tenido miedo de hablar. Sin embargo, Cassie no era como las mujeres con las que se había acostado hasta entonces. Cassie era especial. Incluso había conseguido que considerara la posibilidad de sentar cabeza y formar una familia. Y necesitaba hablar con ella; necesitaba contarle todas cosas de su vida, explicarle su pasado y los acontecimientos que lo habían llevado hasta allí.

—Mi infancia no fue tan bonita como la tuya —empezó por fin a decir—. Mi padre era todo un dictador. Las cosas tenían que ser perfectas… y, además de perfectas, tenían que estar terminadas al instante. Cuando él estaba en casa y me ordenaba algo, yo debía hacerlo sin dilación. De lo contrario, me castigaba.

Cassie lo miró con sorpresa.

—¿Te pegaba?

Ian se quedó mirando el techo.

—A veces.

—Oh, Dios mío.

–Bueno, no se podía decir que me maltratara. Simplemente, era de la vieja escuela y creía en las supuestas bondades del castigo físico... Aunque sus golpes no me dolían tanto como lo que pasó después, cuando llegó el divorcio. Mi padre desapareció poco a poco de mi vida, y mi madre empezó a llevar a sus amigos a nuestra casa.

–Comprendo...

–Al principio, cuando me despertaba por las mañanas y me encontraba con uno en la cocina, hablaba con él y me interesaba por sus cosas. Pero, al cabo de un tiempo, habían pasado tantos que ya no me molestaba ni en recordar sus nombres. ¿Para qué? No se iban a quedar... Para que te hagas una idea, te diré que mi madre ya va por el cuarto divorcio, y sospecho que está cerca del quinto.

Cassie le acarició el pecho.

–Lo siento mucho, Ian.

Él se encogió de hombros.

–No lo sientas. Comparada con la infancia de otras personas, la mía fue de lo más fácil. Pero habría dado cualquier cosa por tener unos padres que se quisieran y que me quisieran a mí –le confesó–. Habría dado cualquier cosa por tener una familia... Y, como no la tuve, terminé por asumir la realidad y olvidar mis sueños imposibles.

A Cassie se le humedecieron los ojos.

–No llores por mí –le rogó él, emocionado–. Ha pasado mucho tiempo desde entonces. Solo te lo he contado porque quiero que sepas quién soy y de dónde vengo.

–¿Cómo no voy a llorar, Ian? Lloro por un niño que necesitaba cariño y atención... Y lloro por un hombre que encaja tan maravillosamente bien en mi familia que tengo miedo de perderlo.

Ian se sintió como si le hubieran pegado un puñetazo en el estómago. Era la primera vez que Cassie se refería de forma explícita a lo que iba a pasar cuando terminara el rodaje. Y saber que lo iba a echar de menos le partía el corazón.

–No quiero hacerte daño, Cassie. Eso es lo último que quiero.

Cassie le puso las manos en las mejillas, lo miró a los ojos y sonrió.

–Lo sé. Me he entregado a ti por voluntad propia y con plena conciencia de lo que hacía. Pero, de momento, eres mío… De momento, no quiero pensar en nada que no sea el presente. No quiero preocuparme por el terrible vacío que dejará tu ausencia.

Ian no dijo nada. Ella se apretó contra él y añadió:

–Quiero tenerte. Aquí. Ahora.

Mientras se besaban, Ian tuvo que hacer un esfuerzo para recuperar el control de sus emociones.

Cassie había acertado al decir que su separación dejaría un vacío terrible. Un vacío que él también iba a sentir.

Cassie se dio la vuelta y extendió un brazo para tocar a Ian, pero descubrió que estaba sola.

Rápidamente, se sentó en la cama, se apretó la sábana contra el pecho y se giró hacia la mesita de noche para mirar el despertador.

Eran las nueve de la mañana.

¿Cómo era posible que hubiera dormido tanto? Normalmente, se levantaba mucho antes del amanecer.

Se levantó a toda prisa y se puso lo primero que encontró, que fue una camiseta de Ian. Luego, salió del dormitorio y entró en la habitación de la pequeña, imaginando que estaría en la cuna. Pero la cuna estaba vacía.

Segundos después oyó unas carcajadas. Cassie corrió hacia la escalera y, al llegar abajo, se detuvo.

Ian había apartado la mesita del salón para tener más espacio. Y por un motivo que la dejó atónita: pasear con Emily, que se había puesto de pie y avanzaba de un lado a otro, dando tumbos, mientras se apoyaba en las manos de su instructor.

Cassie se emocionó tanto que tuvo que morderse un labio con fuerza para dejar de temblar.

Ian Shaffer le había robado definitivamente el corazón. Ya no podía hacer nada al respecto. Le estaba ofreciendo su vida y se la estaba ofreciendo a Emily. Su interés iba mucho más allá de compartir una cama con ella.

Pero eso no significaba que tuvieran un futuro. Ni siquiera bastaba para que ella se atreviera a soñar con un futuro común.

Era demasiado arriesgado.

–¡Mamá…! –exclamó Emily al verla.

Cassie caminó hasta su hija y se arrodilló delante de ella.

–Hola, preciosa… ¿Qué estás haciendo? ¿Molestar un rato a Ian?

Emily sonrió de oreja a oreja.

–No te preocupes –intervino él–. No es ninguna molestia.

Cassie lo miró.

–¿Cuándo se ha despertado?

Ian se encogió de hombros.

–No sé… Creo que alrededor de las siete.

–¿Y por qué no me has despertado a mí? –quiso saber.

Ian le dedicó una sonrisa encantadora.

–Porque necesitabas dormir. Además, tampoco ha sido para tanto… le he cambiado los pañales, la he vestido y le he dado el desayuno. Estoy seguro de que tú lo habrías hecho mejor, pero al menos lo he hecho –contestó con humor.

Cassie se había quedado sin habla. Ian había cuidado de su hija para que ella pudiera dormir unas horas más. Y ahora la sostenía como si fuera lo más natural del mundo.

–No me mires así, Cassie. Solo pretendía ayudar, pero te habrías negado si te hubiera dicho que estaba despierta. Además, quería estar a solas con Emily, para saber qué tal nos llevamos… Y ahora ya lo sé. Tu hija me adora.

Cassie rio.

–Sí, estoy segura de ello. Sabe reconocer lo bueno cuando lo ve.

Ian la miró con sorpresa, como si no pudiera creer que le hubiera dedicado semejante cumplido. Y hasta la propia Cassie estaba un poco sorprendida. Pero no era momento de callar, sino de hablar y poner las cartas sobre la mesa.

–No he dicho eso con intención de que te sintieras incómodo –prosiguió–. Sin embargo, debes saber que esto me importa mucho… Ya no es una simple atracción sexual.

Él clavó en ella sus oscuros ojos.

–Tampoco para mí, Cassie. Si afirmara lo contrario, mentiría. Emily y tú…

Ian no terminó la frase. Cassie estuvo a punto de preguntar al respecto, pero sabía que estaba sumido en una batalla interna y no lo quería presionar. Sobre todo, después de su esfuerzo de la noche anterior, cuando le había hablado de su infancia.

Era una situación muy difícil para él.

–No es necesario que decidamos nada en este momento. –Cassie le puso una mano en el brazo y sonrió con dulzura–. Solo quería que fueras consciente de que todo esto, todo lo que hay entre nosotros, es muy importante para mí.

Ian la habría abrazado de buena gana, pero sostenía a Emily con una mano, así que se limitó a pasarle el otro brazo alrededor de la cintura.

–Y vosotras sois muy importantes para mí –replicó.

De repente, él le subió un poco la camiseta y le acarició las nalgas.

–Estás terriblemente sexy cuando te pones mi ropa… Pero, si no quieres que te lleve a la cama ahora mismo, será mejor que vuelvas al dormitorio y te vistas.

Ella sintió un escalofrío de placer. No se cansaba nunca de aquel hombre. Aunque tenía miedo de que él se cansara de ella.

Ladeó la cabeza y escudriñó sus ojos en busca de un poco de seguridad. Y la encontró, porque la miraba como si estuviera ante la única mujer del mundo. Evidentemente, su relación no se iba a derrumbar cuando acabara el rodaje y se marchara de Stony Ridge. Pero la pregunta seguía en el aire: ¿qué iban a hacer entonces?

Cassie le quitó a Emily y dijo:

–¿Qué te parece si pasamos el día en la playa?

Ian la miró de arriba abajo.

–¿Qué me va a parecer? Haría cualquier cosa con tal de verte en biquini.

Cassie sabía que quedaban pocas horas de su corto fin de semana, y quería disfrutarlas sin preocuparse por los posibles obstáculos del futuro.

Estaba completamente enamorada de él.

Ian Shaffer no era un paréntesis agradable en su existencia ni era un divertimento pasajero que la había ayudado a olvidarse de Derek.

Era el capítulo siguiente de su vida.

Capítulo Nueve

Cassie miró los planos de su academia para niños con discapacidades y dijo:

–Solo necesito una persona que sepa algo de campañas de publicidad.

–Pues díselo a ese agente artístico con el que te pegas revolcones...

Cassie arqueó una ceja y Tessa sonrió con picardía.

–No estoy segura de que esa definición me agrade –protestó–. Además, Ian no es publicista.

Tessa se levantó de la silla donde había estado sentada.

–Puede que no lo sea, pero sabe más de publicidad que nosotras. Y te garantizo que haría lo que fuera por ayudarte.

Cassie lo sabía de sobra. No necesitaba que su hermana se lo recordara. Pero, en esas circunstancias, no le podía pedir un favor tan personal. Habría sido como dar otra vuelta de tuerca a una relación que estaba lejos de ser segura.

Alcanzó una cucharilla, la metió en el tarro de puré y se la llevó a la boca a Emily. De momento, Ian y la academia tendrían que esperar. Aún no había terminado la temporada de carreras. Faltaba la última y definitiva.

–¿Por qué frunces el ceño? –preguntó Tessa.

–¿Yo? Por nada...

–Oh, vamos. Te conozco de sobra –dijo–. ¿Qué te preocupa?

Cassie maldijo a Tessa para sus adentros. Eran hermanas, y a ella no la podía engañar. Así que decidió ser sincera.

–Ian está cenando con Lily.

Tessa rio.

–No me digas que estás celosa…

Cassie guardó silencio.

–¡Pero si ese hombre está loco por ti…! –continuó–. Solo hay que ver cómo te mira cuando sabe que no te das cuenta.

A Cassie le encantó saber que la miraba. Y deseó contarle a todo el mundo que se había enamorado de él. Pero, en el fondo, seguía pensando que aquello era demasiado bueno para ser verdad y que, si no se alejaba de Ian Shaffer, le partiría el corazón.

–Cassie, Ian no es como Derek… –insistió Tessa, adivinando sus pensamientos–. Puede que sea más joven que tú, pero es todo un hombre y te adora.

Cassie sonrió y dio otra cucharada a su hija.

–Sí, lo sé… Pero tengo muchas dudas al respecto –le confesó.

–¿Dudas de él?

–No. A decir verdad, dudo de mí. Mi vida es demasiado complicada, Tessa.

Su hermana le dio una palmadita.

–Tu vida es perfecta. Tienes una niña preciosa, un trabajo que te gusta y la mejor hermana del mundo. ¿Qué más podrías querer?

Cassie estuvo a punto de decir que quería el amor, pero prefirió no adentrarse por ese camino. Alcanzó una servilleta, le limpió la boca a su hija y dijo, cambiando de conversación:

–¿Dónde se ha metido tu enamorado? Me extraña que no esté contigo… Normalmente, no os separáis en todo el día.

Tessa se encogió de hombros.

—Tenía una reunión con Bronson y Anthony. Aunque sospecho que papá encontrará la forma de sumarse a ella.

—Sí, no tengo la menor duda… ¿Me acompañas arriba? Tengo que bañar a Emily.

Tessa sacudió la cabeza y suspiró.

—No, será mejor que vuelva a casa y prepare la cena. No suelo cocinar para Grant, pero últimamente trabaja demasiado, y quiero que se relaje un poco.

Cassie cerró los ojos durante un par de segundos.

—Oh, por Dios, no me hables de relajarse… —protestó—. Haces que piense en cosas en las que no quería pensar.

Tessa soltó una carcajada y se dirigió a la salida.

—Hasta mañana, hermanita… —se despidió.

Ya a solas, Cassie se puso a pensar en Ian, en su fin de semana en Los Ángeles y en lo bien que se había portado con Emily.

Sí, Ian era cinco años más joven que ella. Pero, ¿qué importaba la edad? Había demostrado sobradamente su madurez. Además, Derek era dos años mayor que ella, y eso no había impedido que su matrimonio terminara en fracaso.

Tras bañar a Emily, le puso el pijama. Todavía era pronto, así que la dejó en la alfombra del salón y le dio unos cuantos juguetes. Después, se sentó en el sofá y se dedicó a mirar a la niña.

Estaba mental y físicamente agotada. Tenía demasiadas preocupaciones. Y como le había empezado a doler la cabeza, decidió recostarse y cerrar los ojos un rato, hasta que llegara la hora de acostar a Emily.

Pero se quedó dormida.

Ian se pegó un buen susto. Cuando entró en el salón vio que Cassie estaba completamente inmóvil y que Emily se había agarrado al sofá para ponerse de pie y acercarse a su madre.

–Hola, cariño… –dijo cuando Emily se giró hacia él y sonrió–. No te preocupes por tu mamá. Solo está un poco cansada.

Alzó a la pequeña, la metió en el corralito y le dio su caballo de peluche preferido. Emily protestó un poco cuando la dejó sola, pero él hizo caso omiso y regresó al sofá para tomar en brazos a su madre, que susurró algo y suspiró.

Estaba tan agotada que ni siquiera abrió los ojos. La llevó al dormitorio, la tumbó en la cama y la tapó con una manta. Luego, al apartarle el pelo de la cara, notó que tenía ojeras y se empezó a preocupar. Parecía enferma, así que le puso una mano en la frente para comprobar su temperatura.

No estaba ardiendo, pero tenía un poco de fiebre.

Sin más dilación, se dirigió al cuarto de baño, mojó una toallita y, tras escurrirla, volvió al dormitorio y se la puso. Ella abrió los ojos al notar el frío.

–¿Ian?

–Calla, no digas nada… Tienes que descansar.

–Pero Emily…

–No te preocupes, yo me encargo de ella.

Cassie gimió.

–No me encuentro muy bien.

–Lo sé. Descansa…

Ian no supo si le había oído, porque cerró los ojos y se quedó dormida otra vez.

Sacudió la cabeza y pensó que trabajaba demasiado, aunque también se dijo que él no tenía derecho a criticarla. A fin de cuentas, no se había convertido en uno de los agentes más importantes de Hollywood por vaguear. Había trabajado como un esclavo, decidido a demostrar a sus padres que sabía ganarse la vida y podía conseguir lo que quisiera.

Pero ahora, mientras miraba a Cassie, se preguntó si tanto trabajo merecía la pena. Por muy satisfactoria que fuera su profesión, no calentaba su cama, no le daba ningún afecto y, por supuesto, no hacía que su corazón latiera más deprisa.

Pero Cassie, sí.

Apagó la luz del dormitorio y volvió al cuarto de baño para lavarse las manos. Después, preparó un biberón y regresó con la niña. Emily no parecía muy contenta de que la hubieran dejado a solas, pero sonrió de oreja a oreja cuando la sacó del corralito.

–¿Siempre estás de buen humor? –le preguntó–. Tu mamá no se encuentra muy bien... Me temo que nos hemos quedado solos.

Emily le dio una palmadita en la cara.

–Papá...

Él se quedó helado.

–No, pequeña. No soy tu papá. Soy Ian.

Emily insistió.

–Papá...

A Ian no le hizo ninguna gracia que lo llamara así, pero se dijo que tampoco tenía nada de particular. Al fin y al cabo, ni siquiera se acordaría de su verdadero padre.

La llevó al sofá, se sentó y le empezó a dar el biberón, que ella bebió sin apartar de él sus grandes y azules ojos, tan parecidos a los de su madre. Ian se preguntó qué iba a pasar cuando terminaran la película. Quería estar con ellas, pero no sabía si se atrevería a dar ese paso.

La niña se quedó dormida al cabo de unos momentos. Él dejó la botellita en la mesa, se apoyó a Emily en el hombro y se levantó para apagar la luz del salón, consciente de que no se podía ir en esas circunstancias. Cassie estaba enferma, y no había nadie que cuidara de la niña.

Tras considerar la posibilidad de llevarla a la cuna, la desestimó. Si se despertaba en mitad de la noche y se ponía a llorar, despertaría a su madre. Además, no quería estar lejos de ella, así que la tumbó en el sofá y, a continuación, se quitó los zapatos y se recostó a su lado.

Desde luego, no era la posición más cómoda del mundo para dormir. Pero estaba tan cansado que hasta se habría dormido de pie.

Alguien llamaba a la puerta.

Ian abrió los ojos y se sorprendió al ver la luz del sol en las ventanas; se levantó de inmediato. No quería que volvieran a llamar y despertaran a Cassie. Pero, al menos, ya no tenía que preocuparse por Emily, porque estaba tan despierta como él.

Se pasó una mano por el pelo y se dirigió a la puerta, preguntándose quién sería. Era domingo, y los miembros del equipo de cine tenían el día libre.

Cuando abrió, se encontró ante un hombre al que no había visto en toda su vida.

—Buenos días… ¿Te puedo ayudar en algo?

—¿Quién eres tú? ¿Dónde está Cassie? —bramó el desconocido.

Ian se puso a la defensiva, desconcertado ante su actitud.

–Discúlpame, pero las preguntas las hago yo –replicó con frialdad–. A fin de cuentas, tú estás fuera y yo, dentro.

El recién llegado frunció el ceño.

–Soy el marido de Cassie, y solo te lo voy a preguntar otra vez. ¿Quién demonios eres tú?

Ian decidió darle una lección. El muy cretino se había presentado como marido de Cassie, no como exmarido; así que lo miró fijamente y dijo:

–Su amante.

Cassie se llevó una mano a la cabeza, que aún le dolía. Pero desestimó el dolor porque se le había presentado un problema mucho más grave.

Al salir al salón Ian estaba de pie, con Emily entre sus brazos, hablando con Derek.

–¿Qué estás haciendo aquí? –preguntó a su exmarido en voz alta.

Ian se giró y dijo:

–Vuelve a la cama, cariño. Emily se encuentra bien, y Derek estaba a punto de irse.

–¿Quién te da derecho a dar órdenes a mi mujer? –gruñó Derek.

Ian entrecerró los ojos.

–No es tu mujer.

Emily se puso a gimotear en ese momento, interrumpiendo la discusión de los dos hombres.

–Oh, vaya… será mejor que le cambie los pañales y le dé el desayuno –dijo Ian.

–¿Qué diablos es esto, Cassie? ¿Has metido a tu amante en mi propia casa? Jamás habría imaginado que eras una vulgar prostituta…

Ian apretó los dientes y se dirigió a él con expresión amenazadora.

–Discúlpate ahora mismo –ordenó.

–Esto no tiene nada que ver contigo. Dame a mi hija y lárgate de aquí.

Cassie sabía que Ian se estaba conteniendo porque tenía a la niña en brazos. Pero no quería correr riesgos, así que se interpuso y miró a su exmarido.

–¿Tu hija? Perdiste todo derecho sobre tu hija cuando nos abandonaste –dijo con una firmeza que no sentía, porque se encontraba bastante mal–. Y tampoco tienes derecho a presentarte en mi casa sin avisar... No sé qué pretendes; pero, sinceramente, no me importa.

Ian le pasó un brazo alrededor de la cintura, y Cassie se sintió mejor al instante. Además, la inesperada visita de Derek le había dado una oportunidad perfecta para comprobar lo que, por otra parte, ya sabía: que eran dos personas completamente distintas. Ian la miraba con preocupación y afecto; Derek, con recriminación y odio.

–He venido a ver a mi esposa y a mi hija.

–Yo no soy tu esposa –replicó Cassie–. Y si quieres ver a Emily, tendrás que hablar con tu abogado y pedirle que se ponga en contacto con el mío. No puedes venir aquí después de un año de no hacer acto de presencia y esperar que te la deje ver. ¿Crees que Emily estaría cómoda contigo?

–No veo por qué no. Parece cómoda con él.

–Porque a mí me conoce –intervino Ian–. Y ahora, te recuerdo que Cassie te ha pedido que te vayas. No se encuentra bien, y mi paciencia tiene un límite. Si no te vas de esta casa, te echaré yo mismo y, a continuación, llamaré a los guardias de seguridad para que te saquen a patadas del rancho.

Derek abrió la boca como decidido a plantarle cara, pero cambió de opinión y dijo:

–No impedirás que vea a mi esposa y a mi hija. Lo solucionaré con mi abogado, pero te aseguro que voy a recuperar a mi familia.

Derek se fue con un portazo, que resonó en el silencio posterior.

Angustiada, Cassie se dejó caer en el sofá. ¿Qué pretendía Derek? ¿Robarle la custodia de su hija? No lo había visto en mucho tiempo, y no sabía cómo interpretar sus palabras. Quizá había cometido un error al no responder a sus mensajes.

–No pienses más en ese tipo… Acuéstate y descansa.

Cassie miró a Ian, que tenía a Emily entre sus brazos.

La imagen le pareció extrañamente armónica. Ian, Emily y ella, juntos. Como piezas de un rompecabezas que encajaran a la perfección.

Se echó el cabello hacia atrás y dijo:

–Ahora no puedo descansar, Ian. Ha insinuado que me ve a quitar a Emily.

–Cassie…

–No me la puede quitar, ¿verdad? –lo interrumpió–. Ningún juez le daría la custodia después de habernos abandonado…

Él guardó silencio.

–Emily ni siquiera lo conoce… –Cassie hablaba en un susurro, como pensando en voz alta–. No se la puede llevar. Se asustaría muchísimo.

Ian le puso una mano en el hombro.

–Cassie, creo que te estás preocupando sin motivo. No ha dicho que vaya a pedir la custodia de la niña. Ha reaccionado mal porque me ha visto en tu casa y le ha molestado. Solo quería asustarte… Pero puedes estar segura de que, si hubieras estado sola, su actitud habría sido completamente distinta.

Emily intentó alcanzar a su madre, pero Ian la apartó.

–Vuelve a la cama y descansa. Daré el desayuno a Emily y, después, pasaré por la habitación para ver si te apetece comer algo. Estás agotada. Trabajas demasiado.

Cassie arqueó una ceja.

–¿Que trabajo demasiado? ¿Y eso lo dices tú?

Ian se encogió de hombros.

–¿Importa quién lo diga?

Cassie se levantó del sofá y suspiró.

–Gracias, Ian. No sé qué habría hecho si no te hubieras quedado anoche.

Ian le dio un beso en la frente.

–Estaba en el sitio donde quería estar…

Cassie volvió a la cama, consciente de que Ian lo había dicho en serio. Aquel hombre estaba lleno de sorpresas, y cada vez lo quería más.

Se había enamorado de una persona que vivía en el extremo contrario de los Estados Unidos; una persona que solo iba a estar quince días más en Stony Ridge. Y, por si eso fuera poco, su exmarido se presentaba en su casa y la amenazaba.

Se abrazó a un cojín y apretó los dientes.

No sabía cómo, pero se dijo que encontraría la forma de solucionar el asunto. Su amor por Ian le había devuelto la esperanza y la confianza en sí misma, virtudes que debían servir para algo.

¿O no?

Cassie accedió a comer algo, pero después se sintió más cansada e Ian no tuvo más remedio que quedarse con Emily, a pesar de las protestas de su madre y de todas las cosas que tenía que hacer. Sin embargo, se dijo que no tenía importancia. Si los padres solteros podían compaginar la familia y el trabajo, él también podría. Además, solo se trataba de echar un vistazo a la niña mientras enviaba mensajes de correo electrónico y hacía unas cuantas llamadas.

La sentó en el carrito, alcanzó una bolsa de pañales y unos cuantos juguetes y cruzó la propiedad en dirección a su remolque. La niña estaba tan graciosa con sus zapatitos de color morado que Ian no dejó de sonreír como un idiota. Pero, ¿cómo no iba a sonreír? Emily era un encanto.

Al pasar por delante del remolque de Max, se cruzó con el actor y con su pareja, Raine.

–Vaya, mira a quién tenemos aquí –dijo Max, que llevaba en brazos a su hija–. Parece que la vida familiar te sienta bien…

Ian se encogió de hombros.

–Cassie está enferma, así que voy a cuidar un rato de Emily.

–Veo que lo vuestro va a en serio –comentó Max–. Aunque todo ha pasado muy deprisa…

Ian asintió.

–Sí, es cierto, pero estas cosas no se pueden evitar. No lo vi venir.

–¿Tienes intención de quedarte en el rancho?

–Sinceramente, no lo sé… ¿A ti te costó mucho? Me refiero a formar una familia.

Max miró a su mujer, que se había inclinado sobre el carrito para hacer mimos a Emily.

–Cuando quieres hacer algo de verdad, las dificultades carecen de importancia –dijo–. Fue la mejor decisión que he tomado en mi vida.

Ian charló un rato con la pareja, se despidió de ellos y entró en su remolque. Después, sentó a Emily sobre una manta y la dejó con sus juguetes. Por fortuna, el remolque era pequeño y no tenía tabiques que separaran los distintos espacios, así que la podía vigilar desde cualquier sitio.

Se sentó en un taburete de la cocina americana y encendió el portátil para comprobar el correo. Cuando terminó, sacó el teléfono móvil y marcó el número de uno de sus clientes, el actor Brandon Crowe, que se había ido a Texas a rodar una película.

–Hola, Ian. ¿Cómo te va?

–Hola, Brandon. Me alegro de haberte encontrado... ¿Ya estás en Houston?

–Sí, llegué hace una hora. Me disponía a tomarme una cerveza, subir a mi habitación y dormir cinco días seguidos, por ese orden.

Ian soltó una carcajada.

–¿Qué querías? –preguntó el actor.

–Sé que tienes muchas cosas entre manos, pero necesito que hablemos sobre un guion. El productor de una película que se va a rodar en Alaska está interesado en que interpretes el papel de protagonista.

–Excelente...

–Te enviaré el guion para que lo leas.

–¿Tú lo has leído ya?

–Sí. Y creo que sería un papel perfecto para ti.

–¿Quién es el productor?

Ian le dio los detalles oportunos y giró la cabeza para echar un vistazo a la niña, pero se quedó helado. Había desaparecido.

–¡Emily! –exclamó, presa del pánico.

–¿Cómo?

–Discúlpame... Te llamaré dentro de un rato. Es que la niña no está...

Ian cortó la comunicación, dejó el teléfono en la encimera y revisó el remolque palmo a palmo, cuarto de baño incluido.

Pero la niña no estaba.

–¡Emily! –gritó de nuevo.

Ya estaba a punto de sufrir un infarto cuando se le ocurrió mirar detrás de la cama. Emily estaba en el suelo, jugando tranquilamente con su caballito de peluche.

Ian no se había sentido más aliviado en toda su vida.

–Eres una niña mala, Emily... Tu madre no te va a dejar que juegues conmigo si te empeñas en matarme a disgustos.

Rápidamente, la tomó entre sus brazos, la llevó a la manta y volvió con su ordenador. Pero, dos horas después, comprendió que necesitaba refuerzos. Sencillamente, no podía trabajar y cuidar de la niña al mismo tiempo.

¿Cómo se las arreglaba Cassie?

Aún se lo estaba preguntando cuando Emily rompió a llorar. Al principio, pensó que tenía hambre; pero no la tenía. Después, pensó que necesitaba un cambio de pañales; pero tampoco lo necesitaba. Y no paraba de llorar.

Desesperado, la sentó en el carrito y la sacó del remolque, con la esperanza de que se tranquilizara con un paseo. Pero no se tranquilizó. Y como ya no sabía qué hacer, se dirigió a la mansión en busca de ayuda. Por suerte, Linda estaba en la cocina, preparando sus típicos rollitos de canela.

–Hola, Ian...

–No sé qué hacer con Emily –le confesó–. Todo iba bien y, de repente, no deja de llorar... Lo he probado todo. Le he dado el biberón, le he cambiado los pañales y la he sacado de paseo, pero...

Linda se limpió las manos con un paño, se acercó a la pequeña y la levantó del carrito para acunarla.

–Creo que solo necesita una siesta.

Ian se pasó una mano por el pelo.

–Después de esta experiencia, creo que yo también la necesito.

Linda sonrió y dio una palmadita a la pequeña.

–Déjala conmigo. La llevaré al dormitorio principal. Damon quiso que instalaran una cuna para facilitar las cosas a Cassie cuando se queda aquí –explicó.

Ian se sentó en uno de los taburetes, sintiéndose derrotado. Solo había estado unas cuantas horas con la niña, y ya lo había sacado de quicio.

De repente, se sintió culpable. ¿Habría sido demasiado duro con sus padres? ¿Los habría juzgado mal? Ahora sabía que cuidar de un niño era una tarea extraordinariamente difícil. Y se habrían encontrado en situaciones parecidas a la de él.

De todas formas, ni tenía las respuestas que buscaba ni podía analizar cada momento del pasado. Además, había problemas más urgentes. En primer lugar, lo que sentía por Cassie y, en segundo, el exmarido que acababa de entrar en escena.

Sin embargo, Derek era un problema de Cassie, que debía afrontar y solucionar por su cuenta. Él estaba dispuesto a ayudarla y a apoyarla en todo lo que fuera necesario, pero se trataba de su exmarido, el hombre con el que había compartido varios años de su vida.

Y, habiendo una niña de por medio, sospechaba que las cosas se iban a poner bastante mal.

Capítulo Diez

Cassie se despertó cuando llamaron a la puerta. Miró el despertador de la mesita y vio que había dormido casi todo el día.

Apartó la manta, se levantó y se sintió más animada al comprobar que ya no sufría mareos. Por lo visto, Ian había acertado con el diagnóstico. Estaba agotada, y su cuerpo había encontrado la forma de decirle que debía parar de vez en cuando y tomarse las cosas con más tranquilidad.

Justo entonces, se oyó otro golpe en la puerta. Cassie suspiró. No tenía ninguna duda sobre la identidad de la persona que estaba llamando. Ian no habría llamado de un modo tan brusco, y tampoco Tessa, su padre o Grant.

Tenía que ser Derek.

Mientras avanzaba por el pasillo, soltó una carcajada sin humor. Había algo irónico en el hecho de que el hombre que la había abandonado exigiera recuperar a su familia de repente.

Tal como imaginaba, su exmarido estaba en el porche. Y la miraba con recriminación.

—Qué curioso… —dijo ella—. Me estás mirando igual que cuando nos dejaste a Emily y a mí. ¿Se puede saber qué haces aquí?

Derek le estampó un periódico en el pecho y entró en la cabaña.

—Oh, no te molestes en preguntar si puedes pasar… –continuó, sarcástica–. Aunque ya te he dicho que estas visitas no te servirán de nada.

Él echó un vistazo a su alrededor.

–¿Dónde está Emily?

Ella se cruzó de brazos, sin mirar el periódico.

–Está con Ian –contestó–. ¿Qué quieres, Derek?

–En primer lugar, que no dejes a mi hija con un desconocido.

Cassie soltó una carcajada histérica.

–¿Estás hablando en serio? Aquí no hay más desconocido que tú… Además, no me importa lo que pienses de Ian. Di lo que has venido a decir y márchate, o me obligarás a llamar a los guardas.

Derek señaló el periódico.

–Es obvio que no has visto la prensa del día. No conoces a ese hombre tan bien como crees.

Ella arqueó una ceja, pero miró el periódico de todas formas. Aunque solo fuera porque, cuanto antes lo mirara, antes se marcharía Derek. Sus ojos se fijaron en una fotografía de Ian y Lily. Cassie sabía que había estado cenando con la actriz la noche anterior, pero no podía imaginar que la prensa convertiría una reunión de trabajo en una velada romántica. Los habían sacado de tal manera que cualquiera los habría tomado por amantes. Cualquiera menos ella.

–Sí, es una foto muy bonita –se burló–. ¿Y qué?

–¿Es que no te molesta? Es evidente que ese tipo te la está pegando con otra.

Cassie hizo caso omiso.

–¿Qué estás haciendo en mi casa? ¿Qué quieres de mí?

–Si hubieras contestado a mis mensajes o mis llamadas, sabrías que solo quiero recuperar a mi familia. Pero me has sustituido por un hombre mucho más joven que yo… y que tú, por cierto.

Cassie entrecerró los ojos.

–¿Cómo te atreves a juzgarme? Me abandonaste, ¿recuerdas? Y no solo eso, sino que precisamente me abandonaste por una mujer mucho más joven que yo. Una mujer cuya mejor virtud era el tamaño de sus pechos.

Derek intentó hablar, pero ella no se lo permitió.

–Estás enfadado porque Ian es un hombre de verdad, que se preocupa por mí y cuida de Emily como si fuera su propia hija. Algo que no se puede decir de su padre.

Derek apretó los dientes.

–Haz lo que quieras, pero tu querido amante terminará aburrido de la vida familiar y te dejará en la estacada ¿Y qué vas a hacer entonces? –preguntó–. En cambio, yo he asumido que cometí un error con vosotras, y estoy dispuesto a intentarlo otra vez.

Cassie maldijo su suerte. En otra época, habría hecho lo que fuera con tal de que Derek volviera a su lado. Pero estaba enamorada de Ian.

Por desgracia, Derek seguía siendo el padre de Emily. Y tenía derechos sobre ella.

–He esperado mucho tiempo a que volvieras, ¿sabes? Me horrorizaba la idea de que Emily creciera sin ti... pero luego me di cuenta de que estábamos mejor así. Las dos –dijo–. No necesitamos un hombre que abandona a la primera de cambio. Necesitamos un hombre que nos quiera, que se preocupe por nosotras y qué esté a nuestro lado pase lo que pase.

–Mira...

Cassie lo interrumpió.

–Me casé contigo pensando que nos amábamos, pero me equivoqué. Puede que yo te amara a ti, pero tú no me amabas a mí. Si me hubieras querido, no te habrías marchado de ese modo.

Él alzó un brazo y le acarició la cara.

–He vuelto, Cassie… Sé que me equivoqué, pero he vuelto y quiero a mi familia. No me digas que estás dispuesta a tirarlo todo por la borda.

La puerta se abrió en ese instante. Y Cassie no tuvo que mirar al recién llegado para saber quién era. Solo podía ser una persona, Ian.

–Yo no tiro nada por la borda. Lo tiraste tú, hace mucho tiempo.

Derek lanzó una mirada a Ian y, a continuación, clavó la vista en Cassie.

–Quédate con el periódico. Así tendrás algo en lo que pensar.

Derek dio media vuelta, pasó por delante de Ian y, por segunda vez, dio un portazo al salir. Cassie sacudió la cabeza y preguntó:

–¿Dónde está Emily?

–La he dejado con Linda. Se está echando una siesta.

Cassie asintió.

–Como ves, Derek me ha hecho otra visita. Pero no pienses mal, por favor. Es que…

–No hace falta que me des explicaciones. Es obvio que quiere que vuelvas con él. Tendría que ser tonto para no quererlo.

Ian bajó la mirada y se quedó helado al ver la fotografía del periódico.

–Oh, no… ¿Ha intentado utilizar eso contra mí?

Cassie se encogió de hombros.

–Bueno, no es de extrañar. Han presentado tu reunión con Lily de tal manera que todo el mundo pensará que sois amantes.

–Eso me temo. Pero es su forma de vender más periódicos.

Cassie asintió.

–Lo sé.

Ian se acercó a ella y le dio un beso apasionado, como si quisiera borrar cualquier duda que Cassie pudiera tener sobre sus sentimientos.

Luego, rompió el contacto y apoyó la cabeza en su frente.

–Dime que no crees que te pueda besar así y acostarme al mismo tiempo con otra mujer. Dime que confías en mí, que confías en nuestra relación... Porque, si no me lo dices, me marcharé y no te volveré a molestar nunca más.

A Cassie se le encogió el corazón.

–Por supuesto que confío en ti –afirmó–. Sé que no me mentirías. Me has demostrado que eres digno de mi confianza.

Cassie respiró hondo y dio un paso atrás.

–Además, sé que tendré que acostumbrarme a estas cosas si seguimos juntos. Trabajas en Hollywood, y siempre estarás sometido a la atención de los medios.

Él sacudió la cabeza.

–No... Soy un agente artístico, Cassie. Normalmente, no se fijan en mí. Si hubiera estado solo, jamás habrían sacado una fotografía.

Cassie sonrió.

–Pero estabas con la impresionante Lily Beaumont.

–¿Y qué?

–Que todos tus clientes son famosos, Ian –contestó–. Habrá más fotografías, más artículos de prensa, más reportajes...

–Bueno, son gajes del oficio –observó–. Yo solo sé que quiero estar contigo... Pero si mi profesión va a ser un problema para ti, si no eres capaz de soportarlo...

Los ojos de Cassie se llenaron de lágrimas.

–¿Estás hablando en serio? ¿Quieres estar conmigo?

Él le acarició la mejilla y sonrió.

–Sí, claro que sí. Sé que es una locura, teniendo en cuenta que nos conocimos hace muy poco… Pero quiero estar contigo –insistió–. Me has convertido en una persona mejor de lo que era. Incluso has conseguido que me plantee la posibilidad de tener una familia, cuando siempre había pensado que no estaba hecho para esas cosas…

Cassie le pasó los brazos alrededor del cuello.

–Me siento muy afortunada contigo, Ian. Solo lamento que te hayas presentado en un momento tan difícil de mi vida.

–¿Lo dices por Derek?

Ella asintió.

–En efecto. Es un canalla, pero sigue siendo el padre de Emily… No puedo impedir que la vea.

–¿Qué pasará si pide la custodia? ¿Ha insinuado algo al respecto?

–No. Espero que solo quiera asustarme, como dijiste.

Ian le acarició el cabello.

–Bueno, no importa. Pase lo que pase, estaré a tu lado.

Cassie volvió a sonreír. Por primera vez en mucho tiempo, tenía algo que le daba esperanzas; algo al margen de Emily y de su trabajo: el amor de un buen hombre.

Cassie pensó que Derek no podía haberse presentado en peor momento. Pero no lo pensó solo por su relación con Ian, sino también por el rodaje de la película y por la temporada de carreras, que estaba a punto de terminar.

Faltaba muy poco para el derbi de Belmont, y las cosas se habían complicado mucho. Derek la había llamado por teléfono y le había presentado un ultimátum: o volvía con él o hablaba con su abogado y pedía la custodia de la niña. Por supuesto, Cassie seguía pensando que era un farol y que su exmarido no tenía intención de llegar hasta ese extremo. Sin embargo, no lo podía desestimar. Era una amenaza demasiado grave.

Se sentó en el sofá de la habitación del hotel y se llevó las manos a la cabeza, haciendo un esfuerzo por no llorar. Sabía que las lágrimas no arreglaban nada.

Al cabo de unos segundos, Tessa apareció en la puerta que comunicaba los dos dormitorios.

—Sé que no estás bien y que necesitas una copa, pero también sé que no nos podemos emborrachar... La carrera de mañana es muy importante —dijo—. Sin embargo, tengo una caja de bombones que estoy dispuesta a compartir contigo.

Cassie intentó sonreír.

—¿Hay algún bombón de licor?

Tessa soltó una carcajada y se sentó a su lado.

—No, me temo que solo son bombones de chocolate con relleno de trufas.

—Lástima...

—¿Quieres que hablemos? Sé que Derek te ha puesto en una situación muy difícil, pero no quería preguntar porque supuse que me lo dirías cuando estuvieras preparada.

Cassie se encogió de hombros.

—Pensaba que, si no le hacía caso, se iría...

—Y no se ha ido.

–No –dijo–. Pero, ¿cómo te has enterado?

Tessa abrió la caja de bombones y se llevó uno a la boca.

–Bueno, Ian y Max estaban sopesando el problema, y oí su conversación sin querer.

Cassie suspiró.

–Tenía intención de decírtelo, pero estaba demasiado ocupada. No sé qué hacer, Tessa. He hablado con los guardias y les he pedido que lo vigilen si se vuelve a presentar en el rancho.

–¿Se puede hacer eso? Legalmente, quiero decir.

–No sé si lo pueden vigilar… pero, si entra en nuestra propiedad sin permiso, los guardias tienen todo el derecho del mundo a echarlo.

Tessa le ofreció un bombón, que Cassie rechazó.

–Será mejor que vuelvas a casa en cuanto termine la carrera. Nash y yo nos encargaremos de todo… Llévate una de las camionetas. Nosotros viajaremos en la otra.

Cassie se mordió el labio. Estaba al borde de las lágrimas.

–No quiero que esto se estropee por mi culpa. Hemos trabajado demasiado… Hemos ido demasiado lejos… No puedo permitir que ese hombre destroce nuestras esperanzas.

Tessa la tomó de la mano.

–Derek no va a destrozar nada. Solo es un idiota que seguramente se habrá marchado cuando vuelvas a Stony Ridge, al ver que no tiene ninguna posibilidad de recuperarte.

–Pero me ha amenazado con pedir la custodia de Emily…

Tessa soltó una retahíla de improperios que habrían puesto colorada a su difunta madre. Luego, se tranquilizó un poco y dijo:

—No te preocupes. Ningún juez le concederá la custodia.

—¿Ni siquiera la custodia compartida?

Tessa se encogió de hombros.

—No lo sé, Cassie. Pero ha estado en paradero desconocido durante un año. Dudo que un juez conceda la custodia compartida a un individuo tan irresponsable.

Cassie pensaba lo mismo que ella. Sin embargo, sabía que el sistema legal no era siempre justo.

—Jamás pensé que me pudiera encontrar en esta situación... Me casé con Derek creyendo que era el hombre de mi vida y que estaríamos juntos para siempre. ¿Cómo pude ser tan tonta? Y ahora ha vuelto y dice que quiere que vuelva con él... Pero yo no lo quiero, Tessa. No siento nada por Derek. Nada salvo rabia y resentimiento.

Esta vez fue Tessa quien suspiró.

—Derek no tiene ninguna posibilidad de salirse con la suya. No estás sola, Cassie. También se enfrenta a papá, a Ian, a Grant y a la propia Linda. Si quiere jugar a ser padre, tendrá que pelear duro y demostrar que lo merece.

Cassie asintió.

—¿Sabes una cosa? No me opondría a que Derek vea a Emily si no fuera porque estoy segura de que la abandonará otra vez —declaró con amargura—. Y tengo que proteger a mi hija. Aunque sea de su propio padre...

—Lo comprendo perfectamente.

Tras unos segundos de silencio, Tessa sonrió a su hermana y dijo:

—Bueno, ¿qué está pasando entre Ian y tú? Porque es evidente que no se trata de una simple aventura.

Cassie rio.

–No, desde luego que no.

–Quién te habría dicho que te quedarías encerrada en el ático y que un príncipe azul te rescataría…

–Técnicamente, no me rescató.

Su hermana arqueó una ceja.

–Te equivocas. Claro que te rescató… Aunque es posible que aún no seas consciente de ello.

Cassie pensó que Tessa estaba en lo cierto. Ian Shaffer la había rescatado de una vida sin amor, y le había devuelto la alegría. Pasara lo que pasara, no iba a renunciar a él. Incluso estaba considerando la posibilidad de dejar Stony Ridge y abrir su academia para niños en California. A fin de cuentas, el lugar carecía de importancia.

–¿Qué estás pensando? –preguntó Tessa, frunciendo el ceño–. Te conozco, y sé que esa mirada significa que tramas algo… Será mejor que me lo digas. De lo contrario, volveré a mi habitación y me llevaré la caja de bombones.

–Solo estaba pensando en el futuro, en la academia para niños. Tenía intención de abrirla en Stony Ridge, pero puedo empezar en otra parte.

Tessa asintió.

–Ya me lo imaginaba, y lo comprendo de sobra. Aunque te echaría mucho de menos.

–Bueno, Ian no me ha pedido que me vaya a vivir con él. Pero, si me lo pidiera, no me podría negar –le confesó–. Además, Grant tiene una casa en Los Ángeles, y estoy segura de que pasarás largas temporadas allí.

Tessa la abrazó.

–Haz lo que tengas que hacer, Cassie. Yo solo quiero que seas feliz. Y puedes estar segura de que apoyaré cualquier decisión que tomes.

Cassie le devolvió el abrazo, cada vez más convencida de su decisión. Haría lo que fuera necesario para estar con él. Y ansiaba volver a casa para poder decírselo.

Ian estaba deseando que Cassie volviera a Stony Ridge, porque le había preparado una sorpresa.

Tenían muchas cosas que celebrar. Tessa había ganado en Belmont y se había convertido en la primera mujer que conseguía la Triple Corona. Las hermanas Barrington se habían ganado un sitio en la historia de la hípica, e Ian estaba orgulloso de haber sido testigo de su triunfo. Aunque no hubiera estado presente en la carrera.

Se había quedado en el rancho por dos motivos. El primero, que no quería distraerla de su trabajo y, el segundo, que necesitaba saber si podía estar sin ella.

Y no podía.

Ahora, tras una mañana magnífica que había llegado a su mejor momento cuando Lily firmó el contrato que le había ofrecido, estaba a punto de comprar una cantidad ingente de flores. Quería que la cabaña de Cassie estuviera abarrotada de ellas. Como símbolo del futuro que les esperaba en común y como reconocimiento por el éxito que acababa de conseguir.

Había descubierto que el amor no daba miedo cuando se estaba con la persona correcta. Y tampoco tenía miedo de formar parte de la familia Barrington: todos se habían portado maravillosamente bien.

Acababa de salir de la floristería cuando la suerte quiso que se topara con Derek.

–¿Aún estás por aquí? –preguntó, mirándolo desde detrás de un enorme ramo de rosas.

–No me iré hasta conseguir lo que quiero.

–Pues te vas a cansar de esperar, porque lo que quieres es mío.

–¿Tuyo? Mi familia no es de tu propiedad.

–No es tu familia. Ya, no. Cassie ha tomado su decisión.

–¿Estás seguro de eso? Porque la Cassie que yo conozco pone los intereses de su familia por encima de cualquier otra consideración. ¿Crees de verdad que, puestos a elegir entre el padre de su hija y un tipo al que acaba de conocer, te va a elegir a ti? Para ella no hay nada más importante que las necesidades de Emily.

Ian tuvo que hacer un esfuerzo para no tirarle las flores a la cara.

–Piensa lo que quieras, pero cometiste un error cuando la abandonaste. Perdiste tu oportunidad.

Derek sonrió.

–Yo no he perdido nada. Te guste o no, soy el padre de Emily. Y estoy dispuesto a hacer lo que sea para recuperar a mi hija, incluida la posibilidad de acudir a los tribunales… Si tengo que jugar sucio, jugaré sucio. No me costará demasiado, teniendo en cuenta que eres un conocido mujeriego de Hollywood. ¿O has olvidado ya la fotografía de ese periódico?

Ian no lo pudo evitar. Lo agarró del cuello con la mano que tenía libre y lo empujó contra la pared del edificio.

–Escúchame bien, pedazo de carroña… Ni me vas a intimidar ni voy a permitir que extorsiones a Cassie. Si quieres ver a Emily, habla con tu abogado y soluciónalo por la vía legal. Pero no te atrevas a usar a tu hija como peón. Hay que ser muy canalla para caer tan bajo.

Ian se apartó de él y añadió:

—Mantente alejado de nosotros.

Mientras se alejaba, se puso a pensar en la situación. Evidentemente, no se iba a dejar intimidar por un cretino capaz de extorsionar a la madre de su propia hija. Sin embargo, Ian tampoco quería que Cassie perdiera la custodia de Emily por su culpa. Y la podía perder.

Todos sus planes saltaron por los aires. Ya no estaba de humor para celebrar nada. Y, cuando se dirigió al coche, tuvo la sensación de que la cajita que llevaba en el bolsillo pesaba como el plomo.

Lo habían conseguido. Las hermanas Barrington habían vencido en la competición hípica más importante del país, y habían vuelto a Stony Ridge con la Triple Corona.

Cassie pensó que, durante muchos años, se levantaría de la cama con una sonrisa. Y también pensó que se lo merecía. Tessa y ella habían trabajado muy duro para conseguirlo. Pero, por muy contenta que estuviera, no deseaba otra cosa que llegar a casa para celebrarlo con Ian.

Además, llevaba demasiados días sin verlo, sin tocarlo, sin estar con él. Y cuantos más días pasaban, más lo echaba de menos.

Por eso se sintió tan feliz cuando llamaron al timbre aquella noche y distinguió la silueta de Ian a través del cristal de la puerta. La habría distinguido en cualquier sitio. Pero, en cuanto abrió, se quedó helada. Algo andaba mal.

Ian no sonrió. Ni siquiera intentó tocarla. De hecho, mantuvo las manos en los bolsillos de los pantalones.

–¿Qué pasa? –le preguntó.

Él no dijo nada. Se limitó a mirarla con tristeza.

–¿Ian?

Ian entró en la cabaña. Ella cerró y se apoyó en la puerta, sin saber qué hacer ni qué decir. Hasta unos segundos antes, su corazón estaba lleno de esperanza. Ahora solo estaba lleno de miedo.

–Esto va a ser más difícil de lo que había pensado –dijo él en un susurro–. Había planeado una noche tan distinta…

–Me estás asustando, Ian.

Él se acercó a ella, pero no la tocó.

–Te quiero, Cassie. Nunca le había dicho esto a nadie. Ni siquiera a mis padres –dijo en voz baja–. Esta noche, tenía intención de decirte que te amo y que no puedo vivir sin ti… pero he tenido ocasión de pensar y he tomado la decisión más difícil de mi vida.

Cassie no era tonta, y adivinó lo que estaba a punto de decir.

–¿Cómo te atreves, Ian? –dijo entre lágrimas–. ¿Cómo te atreves a decirme que me amas un segundo antes de anunciar que vas a romper conmigo? Porque eso es lo que ibas a decir, ¿no?

Ian se pasó una mano por la cara.

–Maldita sea, Cassie… Solo intento facilitarte las cosas.

–¿Facilitarme las cosas?

–Sí, exactamente. No podría ser feliz si supiera que yo soy el obstáculo que se ha interpuesto entre ti y la custodia de tu hija.

Cassie lo miró con rabia.

–Ah, ahora lo comprendo… Has permitido que

Derek te manipule –afirmó–. Jamás habría creído que fueras tan cobarde...

–No soy un cobarde. Si Emily no formara parte de la ecuación, lucharía por ti y ganaría. Pero Emily tiene derecho a conocer a su padre, y no soporto la idea de que te veas obligada a renunciar a su custodia o a compartirla con él porque Derek se ha enfadado por mi culpa y está dispuesto a jugar sucio. Si yo me voy, es posible que podáis llegar a un acuerdo civilizado.

Cassie intentó mantener la calma.

–No busques excusas, Ian. Te vas porque tienes miedo... porque las cosas se han complicado y no eres capaz de plantarles cara.

Ian se sintió como si le hubieran pegado un puñetazo.

–Créeme, Cass... A largo plazo, es lo mejor para Emily.

–¿Y qué me dices de mí? –bramó–. Adoro a mi hija, y ya sabes que estoy dispuesta a anteponer sus necesidades a las mías. Pero acabas de decir que me amas...

–Porque es cierto.

–¿Ah, sí? ¿Y que pasará si te vas? ¿Qué pasará con nosotros?

Cassie dio un paso adelante y él dio uno atrás sin pensarlo.

–No, Emily... No me toques, te lo ruego. Esto ya es demasiado difícil para mí... Solo te pido que pienses en lo que he dicho. Sabes que tengo razón. Es la única forma de que mantengas la custodia de Emily. Derek no va a jugar limpio... Si me quedo contigo, lo usará contra ti.

Ian respiró hondo y tras un momento de silencio siguió hablando.

–Quiero formar parte de tu vida, Cassie. Quiero formar parte de la vida de Emily. Pero, precisamente por eso, me siento en la necesidad de protegeros a las dos. Y no se me ocurre mejor forma de protegeros que alejarme de vosotras.

Cassie lo odió con toda su alma. Lo odió por ser tan noble, tan considerado. Y odió a Derek por haberlos puesto en esa situación.

–Muy bien –dijo casi al borde de las lágrimas–. Si no estás dispuesto a luchar por mí, será mejor que te marches de aquí. Ya has dicho lo que has venido a decir.

Ian se metió una mano en el bolsillo, sacó una cajita y le dejó en la mesa.

–He venido a decir todo lo contrario, Cassie. Pero quiero que sepas que te amo... Y que, pase lo que pase, siempre te amaré.

Ian pasó a su lado sin tocarla y salió de la casa sin una simple despedida.

Tras unos momentos de desconcierto, Cassie se acercó a la mesa y alcanzó la cajita, de color azul. Las manos le temblaban cuando por fin consiguó abrirla, porque sabía exactamente lo que contenía: un anillo de compromiso, que le arrancó al fin un sollozo.

Incapaz de contenerse, lo sacó de la caja y se lo puso en el dedo. Encajaba a la perfección, como el hombre que se acababa de ir.

Mientras lo miraba, se dio cuenta de que no podía permitir que Ian saliera de su vida. Emily siempre sería lo más importante para ella, pero ¿dónde estaba escrito que no pudiera tener una familia y, además, al hombre de sus sueños? En ninguna parte, desde luego.

Si Derek quería jugar sucio, que jugara sucio. No

le dejaría salirse con la suya. Ni le quitaría a su hija ni le robaría a su amor.

Además, Ian le acababa de demostrar que era el hombre que necesitaba. Había sacrificado su felicidad por el bien de Emily. Y no sería un sacrificio vano.

Capítulo Once

Ian se preguntó por qué había regresado a Los Ángeles en lugar de marcharse a un lugar más exótico y lejano. Había vuelto a su casa después de romper con Cassie y hablar con Max, quien se había mostrado bastante comprensivo con su decisión, aunque la consideraba estúpida. Sin embargo, ¿qué podía hacer? Lo había pensado mucho y no se le ocurría otra manera de proteger a Cassie y a Emily. Desde su punto de vista, era lo mejor para las dos.

Pero estaba siendo un infierno para él.

Llevaba casi un mes en la casa, donde no había ni un rincón que no le recordara a la mujer que amaba. Sabía que el rodaje de la película estaba a punto de terminar; se lo habían dicho Max y Lily, aunque no se había atrevido a preguntar por Cassie. Simplemente, no podía.

Salió de la casa y se sentó en la arena de la playa a mirar la puesta de sol. No había mentido al decir que se marchaba por el bien de Emily. No quería contribuir a la infelicidad de la pequeña por interponerse entre Derek y Cassie. De niño, habría dado cualquier cosa a cambio de que sus padres estuvieran juntos; y, si ese era el precio que tenía que pagar para que Emily no se convirtiera en víctima de una familia rota, lo pagaría.

Había llegado a quererla de verdad. Echaba de menos su sonrisa. Echaba de menos sus manitas cuando se cerraban sobre el biberón. Hasta echaba de menos el momento de cambiarle los pañales.

–Definitivamente, vives en un lugar precioso…

Ian se volvió al oír la voz y se quedó helado. Era Cassie. Llevaba un vestido de color verde, con el pelo suelto sobre los hombros. Y Emily estaba entre sus brazos.

–Pasaba por aquí y me he preguntado si tendrías habitación para dos chicas –continuó.

Ian se puso en pie.

–¿Habitación? ¿Quieres quedarte aquí?

–Quiero quedarme en tu casa, en tu corazón… donde tengas sitio.

Ian estaba tan emocionado que casi le temblaban las piernas.

–Siempre habrá un sitio en mi corazón para vosotras. Pero, en cuanto a mi casa… Eso depende de lo que haya entre Derek y tú.

–Derek está bastante ocupado con mi equipo legal. Contraté a tres abogados para asegurarme de que no nos pudiera extorsionar ni a ti ni a mí ni utilizar a Emily como moneda de cambio –le informó–. Acordamos que puede ver a la niña de vez en cuando, pero solo en determinadas circunstancias. No la puede sacar del Estado por ningún motivo ni estar con ella sin mi aprobación.

Él la miró con asombro, sin saber qué decir. Cassie se acercó un poco más, y la niña extendió sus manitas hacia Ian, que la tomó rápidamente entre sus brazos.

–Te he extrañado mucho, Emily…

–Y nosotras te hemos extrañado a ti –dijo Cassie–. Pero no quería venir a verte hasta que solucionara el problema de mi exmarido.

Ian le pasó el brazo libre alrededor de la cintura.

–Ahora bien, si nos vuelves a dejar por tu extraño concepto del sacrificio, acudiré a la prensa y les contaré un montón de mentiras sobre tus relaciones románticas –prosiguió Cassie con humor–. Sé por qué te marchaste, y hasta lo comprendo hasta cierto punto... Pero estar sin ti ha sido una pesadilla. Y no quiero que se vuelva a repetir.

Ian le dio un beso fugaz.

–¿Y qué va a pasar con tu familia? ¿Qué va a pasar con la escuela?

Cassie le dio una palmadita en la mejilla y sonrió.

–Emily y yo nos quedaremos aquí una buena temporada. Y, en cuanto a la academia para niños, me gustaría abrirla en Stony Ridge, pero estoy dispuesta a mudarme a California si es necesario.

Ian no lo podía creer. Cassie estaba dispuesta a dejar a su familia y marcharse al otro extremo del país con tal de estar a su lado.

–Yo no te pediría que abandonaras a tu familia, Cassie. De hecho, preferiría estar cerca de ella... ¿Qué te parece si vivimos en Stony Ridge o en algún lugar cercano y dejamos esta casa para fines de semana y vacaciones?

Cassie sonrió de oreja a oreja.

–Me parece fantástico. Aunque te estás olvidando de algo...

Ian frunció el ceño.

–¿De qué?

Ella alzó la mano y le enseñó el anillo.

–Lo llevo desde que te marchaste. Di por sentado que era un anillo de compromiso y que, en consecuencia, implicaba una petición...

Ian sonrió, miró a la niña y dijo:

–¿Qué opinas tú, preciosa? ¿Debo pedirle a tu madre que se case conmigo?

Emily le devolvió la sonrisa. Ian soltó una carcajada y se giró hacia Cassie.

–¿Cómo es posible que sea tan afortunado?

Ella se encogió de hombros.

–No lo sé, pero tengo la impresión de que el destino estaba empeñado en unirnos desde el primer día –respondió–. Desde que caí literalmente en tus brazos.

–Pues ahora estamos juntos, y no permitiré que nada nos separe. Ni un exmarido ni mi propia tendencia a ser demasiado noble… nada. Ahora eres mía, Cassie.

Ian la miró a los ojos y supo que estaba viendo su futuro.

–Dime que te casarás conmigo –continuó–. Dime que me dejarás ser el padre de Emily. Dime que me lo enseñarás todo sobre los caballos… Quiero formar parte de tu vida, en todos sus aspectos.

–Me alegra, porque yo no me contentaría con menos.

Ian rio.

–Tengo una idea… ¿Por qué no dejamos que Emily se eche una siesta mientras tú y yo hacemos otro tipo de planes sobre nuestra familia?

Por la mirada pícara de Cassie, Ian supo que había entendido perfectamente la indirecta.

–Nuestra familia –repitió ella–. Son las dos palabras más bonitas que he oído nunca.

Él la volvió a besar y dijo:

–Pues pongamos sus cimientos…

Louise Allen

Los Desvelos del Amor

La noche antes de que el disoluto lord Denham se embarcara en un viaje por Europa, se encontró con una complicación inesperada. Vestida con ropa de chico que no lograba disimular sus

curvas, su amiga de la infancia, lady Althea Curtiss, se presentó en su puerta, desesperada por huir de un matrimonio concertado, y le pidió que la llevara con él.

Rhys aceptó con reticencias a aquella compañera de viaje, sabiendo que el escándalo le explotaría en la cara. Hasta que descubrió otro territorio mucho más íntimo que lady Thea sentía curiosidad por explorar. Pronto se dio cuenta de que corría el riesgo de despertar no solo la sensualidad de Thea, sino también su propio corazón…

Iba a ser un viaje hacia el placer…

Nº 582

¡YA EN TU PUNTO DE VENTA!

Helen R. Myers

Preparado para el amor

*Noah no sabía qué le molestaba más,
si el secretismo de Rylie o
la creciente atracción que sentía por ella*

La peluquera de perros Rylie Quinn era la alegría de la clínica veterinaria de Sweet Springs, Texas. Pero el ayudante del fiscal Noah Prescott sospechaba que su carácter risueño y afable ocultaba un turbio secreto, y estaba decidido a descubrirlo como fuera.

Sin embargo, a medida que Noah conocía la verdadera historia de Rylie se le planteaba un serio

dilema: ¿era más importante la búsqueda de la verdad... o el corazón de aquella mujer a la que estaba empezando a amar?

N° 2048

¡YA EN TU PUNTO DE VENTA!

Bianca.

Amarte, respetarte... ¿y poseerte?

Cesare Sabatino no tenía intención de casarse, pero siempre había pensado que cualquier mujer le habría dado un entusiasmado "sí, quiero". Por eso, su sorpresa fue mayúscula cuando Lizzie Whitaker lo rechazó.

Para poner sus manos en la isla mediterránea que había heredado de su madre, Cesare debería casarse con la inocente Lizzie... y asegurarse un heredero. Afortunadamente, el formidable italiano era famoso por sus poderes de convicción. Con Lizzie desesperada por salvar la hacienda familiar, solo era una cuestión de tiempo que se rindiese y descubriese los muchos y placenteros beneficios de llevar el anillo del magnate en el dedo.

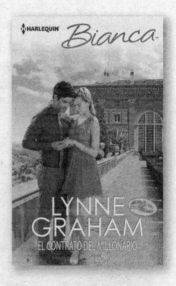

El contrato del millonario

Lynne Graham

¡YA EN TU PUNTO DE VENTA!

Jazmín Top

historias que harán latir con intensidad tu corazón

JACQUELINE DIAMOND
Instinto paternal

Un bebé era lo último que la enfermera Anya Meeks esperaba encontrarse a resultas del breve escarceo que había tenido en Nochevieja. Después de haber criado a sus tres hermanas pequeñas, no estaba preparada para el compromiso de por vida que exigía tener un hijo, o un marido, por atento y responsable que pareciera.

El atractivo doctor Jack Ryder estaba acostumbrado a que las mujeres del hospital Safe Harbor rivalizaran por llamar su atención. Lástima que la que a él le interesaba estuviera empeñada en evitarlo. Estaba deseando formar una familia, y haría lo que fuera necesario para convencer a Anya de que no entregase en adopción al hijo que habían concebido. ¿Conseguiría convencerla de que el amor no era un accidente?

N° 33

¡YA EN TU PUNTO DE VENTA!